LA PROVENCE DE GIONO

La Provence de…
collection dirigée par Jean-Paul Clébert

Dans la même collection :

LA PROVENCE DE MISTRAL, par Jean-Paul Clébert

En préparation :

LA PROVENCE DE BOSCO, par Georges Raillard

ISBN 2-85744-080-4

Jacques CHABOT

La Provence de Giono

ÉDISUD
La Calade, Aix-en-Provence

Portrait de Giono.

« Je prononce d'abord la formule d'exorcisme moderne : "Les héros de ce roman appartiennent à la fiction romanesque, et toute ressemblance avec des contemporains vivants ou morts est entièrement fortuite; fortuite également la similitude des noms propres." Rien n'est vrai. Même pas moi; ni les miens; ni mes amis. Tout est faux. »
(Noé, III, p. 611.)

Les références à l'œuvre de Giono sont faites :

1. Pour tous les textes édités dans les *Œuvres romanesques complètes* (O.R.C.), Gallimard, «Bibliothèque de la Pléiade», Paris, 1971 à 1980, 5 volumes, dans cette même édition, avec le titre suivi de la tomaison en chiffres romains (I, II, III, IV) et de la pagination en chiffres arabes.

2. Pour les autres textes, à :

Le Moulin de Pologne, Gallimard, Paris, 1952.

Voyage en Italie, Gallimard, Paris, 1953.

Manosque des plateaux, Émile-Paul, Paris, 1955.

Les Deux Cavaliers de l'orage, Gallimard, Paris, 1965.

L'Iris de Suse, Gallimard, Paris, 1970.

Les Récits de la demi-brigade, Gallimard, Paris, 1972.

Le Déserteur et autres récits (La Pierre, Arcadie... Arcadie, Le Grand Théâtre), «Folio», Paris, 1978.

Le Poids du ciel, Gallimard, «Idées», Paris, 1971.

LA PROVENCE DE GIONO

Le soleil ni la mort ne se
peuvent regarder fixement.
LA ROCHEFOUCAULD, Maxime 26.

La Provence de Giono, ça n'existe pas, ça n'existe pas plus que «la fourmi de dix-huit mètres» de Robert Desnos. Et pourtant, quel beau monstre! Ça n'existe pas? Et pourquoi pas?

Certes elle n'existe plus, mais alors plus du tout, cette Provence rurale archaïque, et qui se perd dans la nuit des temps, c'est-à-dire des temps où il n'y avait pas encore de temps, pas d'histoire. Et donc, pas d'«histoires». Une époque sans histoires... quel fabuleux opium pour assouvir les tourments d'une période historique, cruellement historique! Une époque où l'on peut se faire raconter des histoires pour oublier l'Histoire.

Se méfier des contrefaçons

Or n'est-ce pas cette Provence-là qu'une idéologie de résidences secondaires nommerait volontiers «la Provence de Giono»?

Nous exagérons? Cherchez bien, vous trouverez bientôt des «lotissements Giono» où le promoteur, qui vous en donne toujours plus, vous fait en prime cadeau du ciel bleu de la Provence.

Il y a quelques années, dans un hebdomadaire féminin bien connu, je trouvai — sans grande surprise, car la promotion commerciale du ciel bleu de Giono battait son plein déjà depuis belle lurette — une publicité de quatre pages pour un centre de vacances culturelles que nous appellerons par discrétion l'Académie des Farigoules. Je leur lègue mon idée : l'Académie du thym c'est trop français, pas assez exotique, pas assez «goût sauvage». L'Académie des Farigoules (ou des Aspics ou des Viro-Soulèu), ça fait vraiment paysan bien du terroir. Et cette «pub» commençait ainsi : «Bâti en plein cœur des Alpes de lumière, ce nouveau centre dédié à Giono accueille des artistes du monde entier (…).» «Une contrée magique vieille de trois cent cinquante millions d'années (…)»; car «il ne peut pas oublier que le pays de Giono est avant tout l'empire des grands espaces et qu'on y trouve des milliers d'hectares vierges». Bref, ce Cecil B. de Mille de la promotion des vacances «culturelles» apportait un supplément d'âme gionien à un produit provençal façon western.

«Une contrée magique vieille de trois cent cinquante millions d'années», c'est la traduction en prospectus d'agence de voyages d'une poésie de la nuit des temps telle que la savourait effectivement Giono dans sa ferme de la Margotte : «La Margotte est assise sur un emplacement magnifique. Ce que j'aime surtout ce sont les tribus de vieux chênes installés sur tous les coteaux. Ce sont des arbres énormes, très vastes et très hauts, leur ombre a nettoyé tout le sous-bois qui est clair, net, pelucheux de petite herbe sèche. Ils vivent là depuis des siècles, avec des foules d'oiseaux, d'écureuils, de petits mammifères et même de renards. Ils sont blonds. Ils sont solides. Ils ont une peau très épaisse, verdâtre, plissée, avec des reflets d'or. Ils sont très vieux. Si on essaie d'imaginer combien il a fallu de temps pour que, du gland, puissent sortir et se former ces énormes troncs que quatre ou cinq hommes, se tenant par la main, ne peuvent embrasser; pour que puisse s'élever cet extraordinaire échafaudage de branches, on se perd dans la nuit des temps. Et actuellement, je ne connais pas de repos plus magnifique que celui qui consiste, quand on le peut, à se perdre dans la nuit des temps.»[1]

Giono ne *parle* pas «magie» : le magique, c'est la marque du prix, le label publicitaire, la «griffe» du vendeur, le clin d'œil au client, le déhanchement racoleur de l'objet qui s'offre. Giono pense et imagine — *se perd* surtout dans — «la nuit des temps»; il n'a pas besoin de mettre une étiquette : c'est (ou ce n'est pas) poétique, mais ce n'est pas à lui de le dire. Car *il le fait*, et nous le donne à voir.

Cette Provence de Giono *qui n'existe pas*, mais qu'il fait exister, nous paraît donc, en 1980, altérée, constamment menacée d'aliénation par son double perverti : «la Provence de Giono» idéologique et publicitaire.

Mettons un peu de l'ordre dans tout cela, voulez-vous? Un mythologue qui raconte des histoires avec l'intention avouée de *se perdre* voluptueusement dans «la nuit des temps» risque fort de rameuter aujourd'hui la foule de nos contemporains nostalgiques du bon vieux temps, qui voudraient bien s'y *retrouver*, et que la terreur du présent et de l'histoire précipite aux oubliettes du passé. Mais ceux-ci fuient la tragédie du présent historique vers un bon vieux temps. Or, le temps n'est pas «un bon vieux». Tandis que celui-là, le poète, affronte le temps de l'histoire au présent dans la mesure où il confronte ce présent avec son

8

Dolmen près de Draguignan.
« Et actuellement, je ne connais pas de repos plus magnifique que celui qui consiste à se perdre dans la nuit des temps. » (Noé, III, p. 849.)

La Margotte, entre Mane et Forcalquier.
« La Margotte est assise sur un emplacement magnifique. Ce que j'aime surtout, ce sont les tribus de vieux chênes installés sur tous les coteaux. Ce sont des arbres énormes, très vastes et très hauts. » (Noé, III, p. 849.)

Provence de l'arbre : le chêne

Quand Giono «se perd dans la nuit des temps», il pense donc *chêne*. Il adhère spontanément, sans symbolisme intellectuel, à l'intuition immédiate des anciennes populations celto-ligures qui peuplaient la Provence avant même qu'elle devînt *provincia romana* : le chêne *est* l'arbre sacré,

REVEST-du-BION (Basses-Alpes) — Tronc de l'Orme Séculaire mesurant 8m50 de circonférence

3258 — La Sainte-Baume - Le Grand Chêne

le sacré par excellence, car il est à la fois le temps et l'éternité, la durée immémoriale. Et la forêt le premier domicile de l'humanité. Tel est bien le sens premier, primitif, de sa méditation sous les chênes de la Margotte[125]. Une fois, une seule, Giono a solennellement privilégié un autre arbre pour signifier l'éternelle beauté de ce qui dure en soi et pour soi : c'est quand il a décrit «l'Apollon citharède des hêtres», au début d'*Un roi sans divertissement*[126]. Et je le soupçonne de l'avoir fait parce que le Hêtre c'est l'Être.

Le crime des crimes, selon Giono, le péché contre l'Être du monde, c'est d'abattre des arbres. Une civilisation de «coupeurs d'arbres» ne devrait pas exister, car elle est une civilisation sans culture. Elle existe, pourtant. Comme Brassens, Giono vivrait mieux «auprès de son arbre» qu'en compagnie d'un homme «moderne». De là sa passion de l'altitude, puisque, à deux ou trois mille mètres, le nombre des technocrates est inversement proportionnel à celui des minéraux et des végétaux.

Giono c'est l'homme des bois. Sa Provence est celle des forêts, de l'arbre roi : le chêne. Il parle peu du pin qui s'acclimate plus bas. Surtout quand il est «maritime» ou «parasol».

«Je le répète : pas de champs. Entre ces fermes solitaires, de grands arbres solitaires; pas trop : les plus forts seuls ont résisté, et, pour un arbre, être fort c'est être beau; donc de très beaux arbres déjà en ferronnerie pure malgré la saison, déjà dépouillés entièrement de leurs feuilles et forgés, martelés en volutes d'une délicatesse de dentelle, entièrement, jusqu'au plus petit des rameaux.» Solitude et beauté de l'artiste : Jean Giono en chêne.

passé, avec une tradition. Il instaure (ou réinstaure) un débat, un combat sur le terrain même où les autres s'abandonnent à une débandade. Comme tous les paradis retrouvés à bon marché, au prix du marché, «la Provence de Giono», lieu de fuite et de lâche abandon, n'est qu'un Eden pourri par la vaine illusion de la vie éternelle sans problèmes et sans histoire, c'est-à-dire sans mort. Et la marque même de l'authenticité du mythe gionien, nous la trouvons dans le soleil de mort qui sublime en la consumant cette terre terrible : «le soleil ni la mort ne se peuvent regarder fixement» ; mais la tragédie, n'est-ce pas justement ce regard ébloui, fasciné, terrifiant et heureux, que portent, transportés, enthousiastes, les Sophocle, Shakespeare et autres Giono sur la mort-soleil ? La Provence de Giono est ainsi épouvantablement solaire : «Il y a, dit-il, de petites places désertes où dès que j'arrive, en plein été, au gros du soleil, Œdipe, les yeux crevés, apparaît sur un seuil et se met à beugler. Il y a des ruelles, si je m'y promène tard, un soir de mai, dans l'odeur des lilas, j'y vois Vérone où la nourrice de Juliette traîne sa pantoufle. Et dans le faubourg de l'abattoir, à l'endroit où il n'y a rien qu'une palissade en planches, j'ai installé tous les *paysages* de Dostoïevski et, notamment, la rue de l'Épiphanie, le vaste espace vide teinté de gris, le vieux parc humide et noir comme une cave où Alexéi Egorovitch, en frac et nu-tête, éclaire le chemin.»[2]

Allez donc demander cet effort d'imagination et de vérité tragique à un estivant affalé sur son quart de mètre carré de plage, sous son journal en guise de sombrero, tandis que son voisin — sur son demi-quart de mètre carré à lui — fait beugler sa radio.

Intemporelle et historique comme Ithaque et Troie, la Provence que Giono invente devient donc, dans le feu de son imagination, le théâtre présent de l'éternelle tragédie grecque, racinienne, shakespearienne... Provence, lieu tragique où le soleil tue, mais en beauté.

Provence-Giono

S'il y a une Provence de Giono, c'est, en effet, *la sienne*, exclusivement. Je veux dire pas une Provence qui préexisterait avant lui et dont il nous ferait le reportage photographique ou la copie ; mais au contraire une Provence à l'image de Giono, une Provence-Giono. Il dit *véridiquement* de lui-même : «Quoi qu'on fasse, c'est toujours le portrait de l'artiste par lui-même qu'on fait. Cézanne, c'était une pomme de Cézanne.»[3] Dans le même sens, Giono est *sa* Provence.

Elle a son histoire, sa géographie, son ethnologie et sa sociologie, pourquoi pas? Mais la parcourir c'est se perdre encore dans une autre «nuit des temps» qui serait, ne disons surtout pas la psychologie ni même «l'âme» de l'artiste, mais sa chair, son corps de vivant exposé au

Phototyp E. Lacour — Marseille

Manosque, vue générale.
« *Manosque est à la pente des collines au fond du golfe de la plaine (…). Ainsi, du haut de cette colline ronde et féminine, on voit tout le large pays. Elle, elle est l'aimable et la nourrice; elle bombe sa ligne pure gonflée par l'artère des eaux; la plaine vient téter ses sources puis s'en va, lourde d'arbres et de blé.* » (Manosque des plateaux, pp. 67 et 21-22.)

Fontaine des Observantins.
« *Il y a des petites places désertes où, dès que j'arrive, en plein été, au gros du soleil, Œdipe, les yeux crevés…* » (Noé, III, p. 613.) « *Sur tout le pourtour de la place les maisons étaient verrouillées, des portes et des contrevents du rez-de-chaussée à la toiture. On entendait distinctement dans le silence le bourdon des mouches et le canon de la fontaine qui jouait avec son bassin.* » (Le Hussard sur le toit, IV, p. 355.)

Le pont des Espels.
« *Quand le pâtre des hautes-terres revient, en arrivant des Espels il voit la ville. Un orage d'été vient de finir; le ciel est une peau sanglante de sang violet et toute hérissée des flèches du soleil.* » (Manosque des plateaux, p. 115.) Le quartier des Espels devait être jadis un quartier de tanneurs ou d'écorcheurs. Giono, qui devait le savoir, espeie le ciel au-dessus des Espels.

La porte d'Aubette.

« ... *cette porte par laquelle l'aube entre dans la ville. Tout le quartier se ressent de cette visite matinale : les vieilles gens n'y sont pas des vieilles : à l'époque des lilas les aïeules fleurissent leurs pauvres poitrines autant que les jeunes à seins durs.* » (Manosque des plateaux, *p. 86.*)

« *On descendit le boulevard, on pénétra dans la ville et on tourna dans de petites rues où Angelo remarqua de très grandes et de très belles portes, mais aussi des volets qui s'ouvraient précipitamment.* » (Le Hussard sur le toit, *IV, p. 327.*)

C'est, en effet, par la porte d'Aubette qu'Angelo, venant de Volx, pénètre dans Manosque.

Edit. A. C.

MANOSQUE. — Porte d'Aubette.

soleil de la mort. Soleil noir évidemment. L'histoire de cette Provence-là pourrait bien être une autobiographie du romancier, et sa géographie l'invention de l'espace où dérivent et délirent ses désirs, le lieu d'incarnation de ses fantaisies les plus secrètes ; l'ethnologie de cette province exotique et achronique nous présente moins une société que des « types » et, à la limite, le type gionien de l'homme.

Ce serait pourtant oublier, un peu trop étourdiment, que Jean le Bleu, enfant de Manosque, prend ses vacances à Corbières ; qu'Angelo traverse la Provence de Banon à Théus en passant par Manosque, Vaumeilh et autres lieux... tous inscrits sur la carte Michelin n° 81. Que Pauline de Théus meurt à Marseille et que le narrateur de *Noé* voyage en autorail de Manosque à la gare Saint-Charles.

La Provence de Giono est donc à la fois utopique et réelle, géographiquement située ; et le mystère qu'elle nous propose, comme toute l'œuvre de Giono d'ailleurs, est celui du *rapport* exact qui existe, ou que l'artiste plutôt fait exister, entre l'imaginaire et la réalité ; Giono ne fait qu'explorer ce mystère, en s'y exposant corps et biens, sans jamais prétendre le résoudre : dans son œuvre, en somme, une Provence imaginaire se superpose « en *volume* » (*Noé*) à la Provence réputée réelle. Et c'est ainsi qu'Œdipe « beugle » dans les rues de Manosque. Giono voit, ou plutôt il revoit, Œdipe, non sur une scène de théâtre, mais à deux pas de chez lui. Œdipe en plein soleil sur une place de Manosque, c'est une image que ni la Provence ni la tragédie de Sophocle ne pouvaient faire exister ensemble : les deux conjointement, c'est une vision que forme Giono. Et pourquoi la vision ne serait-elle pas plus réelle — ou du moins autant — que la réalité ? Qu'est-ce que la réalité ? Une abstraction utile. Concrètement, sensiblement, il n'y a que *des* réalités. Mais celle de l'artiste est un miroir où nous croyons reconnaître la nôtre. « Car, dirait Giono, le *monde* inventé n'a pas effacé le monde réel : il s'est superposé. » (*Noé*). Et si nous nous y reconnaissons mieux, c'est grâce à la présence réelle de la Provence (géographique) sur laquelle se « superpose » la vision de Giono.

La belle au bois dormant

Or, la vision de Giono suspend le cours du temps. Il a certes vécu jusqu'en 1970, mais la Provence qu'il aime et qu'il nous raconte reste celle de son enfance, *fixée* comme par enchantement à l'époque de son enfance, avant la guerre de 14. Et les histoires qu'il nous raconte, il les situe d'abord à cette époque-là, puis de préférence, à partir des *chroniques*, au XIXᵉ siècle. La Provence de Giono, c'est une belle au bois dormant romantique.

Nous avons donc choisi sans trop d'arbitraire, pour illustrer ce livre,

14

des cartes postales «d'avant-guerre» — celle que l'on appelle la grande et qui fut, pour Giono, la pire. La Provence de Giono, en tout cas, n'est pas historique ; elle représente, pour lui, la *vision* personnelle de ses propres souvenirs.

Chronologiquement, ces vues datent, avec exactitude, une époque qui fut celle de l'enfance de Giono : voici les beffrois et les rues de Manosque sur lesquels Jean posa son regard bleu d'enfant sage. Mais la vision bleutée grise ou sépia que nous en avons — car ce n'étaient pas encore des cartes postales «en couleurs» — revêt ces mêmes «vues» d'une monotone et mélancolique «couleur du temps». Le charme rétro de ces images délavées par le cours et le flot des années tient à ce qu'elles *superposent* précisément à notre vision actuelle du même paysage un paysage identique (et reconnaissable) mais qui aurait seulement vieilli. Vieilli ? Même pas. C'est plutôt comme une jeunesse du vieux passé qui dure dans un présent plus vieux encore. Une jeunesse qui n'a plus d'âge, n'ayant pas eu d'histoire, et qui ne risque pas de mourir parce qu'elle s'est arrêtée de vivre. Telle est, en effet, la séduction perfide et perverse du «rétro» : pas assez «vieux» pour paraître vraiment mort, il est cependant juste ce qu'il faut «ancien» pour n'être plus de ce temps présent ; dont il demeure quand même suffisamment proche ; pour quoi ? Pour nous permettre de confondre un passé déjà révolu avec une jeunesse qui serait encore à vivre. Le rétro, ce n'est pas l'essentielle intemporalité, historique pourtant, des chefs-d'œuvre ; c'est l'illusion existentielle de quiconque fuit la mort à venir vers une jeunesse trompeuse, hors du temps, et que la mort ne rattrapera plus puisqu'elle l'a déjà dépassée. Le rétro s'impose dans une société sénescente comme un culte maniaque et superstitieux de «l'ancien» qui cache mal une secrète angoisse de la vieillesse : c'est la mort fardée aux couleurs de la vie ; tandis que l'art véritable c'est l'existence âprement saisie dans l'éclat de la mort. Nul n'est donc moins «rétro» que Jean Giono ; et ce n'est pas ce charme frelaté que nous chercherons dans les images désuètes d'une Provence qui n'est plus, mais qui subsisterait encore, d'une Provence «du bon vieux temps».

Non, cette Provence-là, qui fut contemporaine de l'enfance et de la jeunesse de Giono, elle est morte, comme lui. Et il le savait. Mais celle qu'il a inventée dans son œuvre vit de sa belle mort esthétique.

Génie solaire, Giono parcourt sa Provence imaginaire comme un soleil noir : voyez Angelo traversant les solitudes désertes d'une Provence calcinée par la chaleur et le choléra, Provence de pourriture et de bûchers, seul à cheval comme le chevalier de Dürer que la Mort suit comme son ombre *(Le Hussard sur le toit)* ; voyez «le Père» sur son char à banc qui se métamorphose, à la fin de son dernier voyage, en son propre corbillard *(Promenade de la Mort)* ; et tout ce que son regard touche de la belle Provence paraît instantanément périr comme si l'œil noir de ce

9 MANOSQUE. — Porte Saunerie. — LL.

Porte Saunerie avant et après...
« *La ville a un visage : la Plaine (...).
Un visage fardé à l'usage des villes
avec des cafés à grande glace, des res-
taurants, des bars où l'on joue à la
boîte et des banderoles annonçant les
matches de football. Il y avait là, à
l'entrée de la ville, une belle porte
moyen-âge. Vous me direz : elle y est
encore. Non : il y a bien quelque chose
qui y ressemble, mais ce n'est plus elle.
La mienne avait comme coiffure une
génoise de tuiles grises bien tirée sur les
yeux des mâchicoulis; celle-là arbore
des créneaux de pierres neuves, insoli-
tes, insolents et faux.* » (Manosque
des plateaux, *pp. 101-102.*)

Œdipe enfant sur la place (Œdipe, par définition, ne devint jamais adulte) : «(…) un bel enfant, tout vierge et neuf, avec des yeux si propres qu'on s'y lavait d'un seul regard, de ces beaux cheveux bleus si rares chez les enfants et qui donnent à leur petite tête d'argile humide cette gravité savoureuse des anges joueurs de flûte.» (Manosque des plateaux, p. 95.)

Rue et fontaine d'Aubette.

« *Oui, ce quartier d'Aubette, on sent bien qu'il reçoit la première flèche de l'aube. Elle vient taper toujours à la même place, dans un mur où, peu à peu, elle a fait un trou (...) De délicieuses petites rues aux noms en cloches de couvent : les Chacundiers, l'Observantine, la Présentation, la Terrasse, la Treille et le Blé-Menau s'écartent d'Aubette comme des branches.* »
(Manosque des plateaux, p. 91.)

Porte et rue de Soubeyran.

« *''Il faut que j'aille tout de suite chez Giuseppe, se dit Angelo. Il me semble que je dois monter par là jusqu'à une sorte de clocher surmonté d'un bulbe de ferronnerie et sous lequel passe une porte.'' Il longeait de fort près le pied de l'allée d'ormeaux pour rester dans l'ombre, quand il entendit, venant d'une rue transversale, le roulement et les grincements d'un tombereau lourdement chargé. Il se cacha derrière un tronc...* » (Le Hussard sur le toit, IV, p. 332.)

N.B. — *C'est à droite, avant de passer sous la porte Soubeyran, qu'on entre dans la rue du Poète. Giono faisait remarquer, malicieusement, qu'à Manosque c'est une impasse.*

12. - MANOSQUE. - La Rue et la Porte Soubeyrant.

Albrecht Dürer : *Le Chevalier et la Mort.*

«*Ça se faisait vite, bien entendu, à mesure que le Père tournait son regard sur les choses autour de lui; ça tranchait ainsi dans les arbres, les champs, les collines, les nuages; ça les tranchait de leur immobilité; ça les faisait devenir flamme verte, noire, blanche ou bleue et disparaître en charbon. Ça faisait penser Père à une faux qui aurait* passé sur les choses, il y avait le tremblement de la chose quand elle reçoit le coup de lame; et puis enfin on pouvait imaginer une faux qui tranche et fasse disparaître. Oui, ça on peut l'imaginer. Certes ça n'est pas difficile : Qui fauche le monde ? Qui fauche et rien ne résiste ? Qui fauche tout et fait tout disparaître ?*» (Promenade de la Mort, *III, p. 318.*)

promeneur moribond jouissait du pouvoir d'anéantir ce qu'il fixe. *Promenade de la mort* pourrait servir de titre à notre itinéraire imaginaire à travers la Provence de Giono! Les amateurs de folklore et ciel bleu peuvent d'ores et déjà s'arrêter. Car elle est terrible, la Provence de Giono! Terriblement belle.

La Provence de Giono

1. Commencer par lire *Provence*, dans le recueil *L'Eau vive*, in *Œuvres romanesques complètes* (O.R.C.), t. III, Gallimard, Pléiade, 1974, pp. 205-234, texte publié en juin et juillet 1941 dans *la Nouvelle Revue française*. On se persuadera ainsi tout de suite que Giono est le moins régionaliste, le moins folklore, le moins «campaniliste» (comme disent les Italiens) de nos écrivains : il est pleinement provençal, *parce qu'il est universel*. Le texte *Provence* s'achève sur ces mots (p. 235) : «Il n'y a pas de Provence. Qui l'aime aime le monde ou n'aime rien.»

2. Ensuite — de préférence par une atroce canicule de mois d'août, mais un grand temps de neige de décembre ferait aussi bien l'affaire, car pour Giono c'est pareil : il s'enchante de tous les déserts blancs! — lire :

a) Le premier chapitre du *Hussard sur le toit*, géographie panoramique «en plan cavalier» de toute la Provence de Giono, sous le feu du ciel et du choléra (O.R.C., t. IV, pp. 239-265).

b) Les chapitres 4 et 5 de *Promenade de la mort* dans *L'Eau vive* (O.R.C., t. III, pp. 307-355) pour voir le combat de la lumière blanche et du regard noir de l'artiste qui la nie.

Ces trois textes s'opposent, les deux derniers découvrant la vision nocturne, abyssale, tragique de Giono, dont le premier célèbre la vision diurne apollinienne. *Provence* date de 1939, *Promenade de la mort* de 1940, pour la rédaction; le premier semble mettre un point final à la célébration de la Provence blanche, le second inaugure l'exaltation dionysiaque de la Provence noire.

GÉOGRAPHIES IMAGINAIRES

Soyons d'abord géographes sur la carte, sur les cartes postales et sur le terrain, avant de sombrer dans la nuit d'un cosmos imaginaire constellé. Car elle a cet avantage, la Provence de Giono, de correspondre à un pays réel où les routes — à pied, de préférence, à cheval ou en voiture — parcourent un espace romanesque.

Manosque

Partons du centre ; le pays gionien a un centre pour ainsi dire originaire et natal : Manosque. Jean Giono naquit à Manosque le 30 mars 1885, 1 rue Torte, comme Jean Racine naquit le 21 décembre 1639 à La Ferté-Milon. Les artistes ont ce privilège que leurs date et lieu de naissance n'intéressent pas que l'état-civil et l'INSEE. Parce que Jean Giono y est né, Manosque est célèbre jusqu'aux antipodes. C'est cela aussi la Provence de Giono : il a fait exister Manosque. Il y est mort dans la nuit du 8 au 9 octobre 1970, dans sa maison du Mont d'Or. Il a donc vécu très provincialement à l'ombre de son clocher de Saint-Sauveur — celui qu'Angelo habite, dans *Le Hussard sur le toit*, pendant trois jours et trois nuits — toute sa vie, à quelques rares voyages près, en particulier dans les deux autres cantons de sa Provence intérieure : l'Écosse et l'Italie. Enraciné dans son terroir originel, ce casanier inventa tout simplement un monde : « Il s'agit d'un *monde* qui s'est superposé au monde dit réel. »[4]. Ainsi, l'existence de Giono se boucle de Manosque à Manosque, tout comme son œuvre se déploie géographiquement en cercle autour de ce centre. Pour visiter la Provence de Giono, partez donc de la porte Soubeyran ou de la porte Saunerie ! Ou, mieux encore, du 14 rue Grande, la maison d'enfance de *Jean le Bleu*.

Manosque par Giono c'est un *ici* (là où il vit) dont il fait un *ailleurs* : « Étant bien entendu qu'ici, ce n'est pas cette petite ville de cinq mille

MANOSQUE – Escalier de la Plaine

Manosque, entrée de la ville, et boulevard de la Plaine.

« Ce beau sein rond est une colline; sa vieille terre ne porte que des vergers sombres. (...) Il y avait une allée d'ormes. Ils étaient là depuis qui sait combien? » (Manosque des plateaux, *pp. 8 et 96.*)

les lices

MANOSQUE - Pensionnat St-Charles (coté des Jardins)

Jean Giono à neuf ans, en 1904, et le pensionnat Saint-Charles.
Giono y fut élève de 1900 à 1902.
« Beau petit garçon ! Je veux dire quant à l'habit, car, pour le reste, j'avais une ingrate figure allongée et maigre où se voyaient seuls des yeux tendres. Mais dans quel majestueux col empesé s'emboîtaient mes épaules...
Le jardin de notre école était pareil à un gros fruit plein de chair et de jus. Les murs qui le pressaient le faisaient jaillir et bouillonner ; il en coulait des lilas de partout ; les grands buis éclaboussaient d'ombre et d'odeurs les murs de notre petite classe et le lierre écumant d'abeilles bavait comme de la mousse de confiture du haut mur de la terrasse. » (Jean le Bleu, II, pp. 13 et 14.)

âmes; il y a bien longtemps que je l'ai organisée en décors. »[5]. Et les Manosquins auraient tort de se formaliser — même des cinq mille *âmes* malicieusement soulignées en italiques; car, quiconque viendrait à Manosque sur les traces du Hussard aurait la même surprise qu'André Suarès débarquant à Parme pour y chercher la Chartreuse. C'est donc cela Manosque : un décor; mais quel décor! Manosque devient, avec Giono, la seule ville au monde où des cavaliers déambulent sur les toits. Le fait n'y est pas quotidien et l'on devrait plutôt regarder du côté de Chagall.

Giono ne décrit pas sa ville, ou très peu; mais il la suggère : elle est le terminus de «la route aux peupliers» qui descend d'Italie : «Les hommes de mon âge se souviennent du temps où la route qui va à Sainte-Tulle était bordée d'une épaisse rangée de peupliers. C'est une mode lombarde de planter des peupliers le long des routes. Celle-là s'en venait avec sa procession d'arbres des fonds du Piémont. »[6]. Giono, Piémontais plus que Provençal, sera toujours un homme de la montagne ou, à la limite, du pied des monts. Manosque, c'est le Piémont de la France. Au-delà de ce terminus commence la vraie plaine, celle qui n'est que plate, «le poudroyant Vaucluse, boueux et torride, fumant comme une soupe aux choux»[7]. La colline de Toutes-Aures, en effet, représente pour lui le dernier bastion de la montagne face à la platitude.

Manosque est encore une ville d'arbres, et la partie de la cité qu'il affectionne c'est le boulevard des Lices (la promenade de Bellevue surplombant «le moulin de Pologne»)[8] que, dans *Le Hussard*, Angelo emprunte pour entrer dans la ville; «boulevard planté d'ormeaux gigantesques dans lesquels roulait une invraisemblable chamade de rossignols»[9]. Mais dans *Jean le Bleu*, ce même boulevard devient «le boulevard qui sent la violette»[10], parfum de sa mère.

Ville d'arbres, et maternelle, Manosque se présente à nous, entre collines et Durance, aussi comme une ville d'eaux et de fontaines : le Mont d'Or? «Ce beau sein rond est une colline; sa vieille terre ne porte que des vergers sombres. Au printemps, un amandier solitaire s'éclaire soudain d'un feu blanc, puis s'éteint. »[11]. On accède à la colline-mère par une allée : «Dans les marronniers de la basse-rampe, c'était plein de rossignols; ils se répondaient, ils étaient mélangés aux rainettes à ne plus savoir ce qui était à l'un ou à l'autre. On entendait des gloufs dans l'eau des bassins et ça sonnait si profond que je me disais : (…) ça a l'air d'être des rossignols qui plongent. »[12].

Si la colline sein, source, bassin, grouille d'arbres et d'animaux, la Durance, de l'autre côté, «La Durance est dans la plaine comme une branche de figuier. Souple, en bois gris, elle est là, sur les prés et les labours, tressée autour des islettes blanches. Elle a cette odeur du figuier : l'odeur de lait amer et de verdure (…) elle est devenue arbre elle-même. »[13]. Mais vous retrouveriez ce même décor d'arbres, de bassins avec des rainettes et des rossignols, aussi bien au château de la Valette, dans *Angelo*, ou dans le domaine de la Thébaïde, un des plus étranges domaines marseillais de *Noé* : «La nuit retentissait du chant des rainettes. Il y eut un frémissement assez violent dans les arbres, et Angelo entendit le bruit d'une eau qui clapotait. Il entrouvrit une fenêtre qui donnait sur les derrières du pavillon, et un peu de lune qui avait déchiré les nuages lui fit voir, au pied des murs, l'eau et les joues d'un étang. »[14] «L'allée ! C'était une allée de pins romains aux troncs rouges. Elle m'amena dans un bosquet de fusains d'une noblesse sans défaut. A ce moment-là éclata autour de moi le coassement de milliers de rainettes, de grenouilles et le clouquement mélancolique des crapauds. A travers le feuillage, j'aperçus la plaque d'un vaste bassin d'eau verte, lourdement armurée de mousse. »[15]

Nous pourrions indéfiniment répercuter en échos et en reflets ce paysage gionien à travers toute son œuvre : ce n'est plus un lieu ni une ville, c'est une obsession, c'est un fantasme. Aussi Manosque des arbres et des eaux sera la ville-mère, terrienne, terreuse, aquatique, ville des profondeurs et de la nuit. Manosque est nocturne, que Jean le Bleu y attrape une angine et délire au bord de la fontaine[16] ou qu'Angelo y pérégrine sur les toits[17] après avoir failli être assassiné dans la rue, près d'une fontaine également.

Mais le poète utilise cette profondeur, ce gouffre sournois des ruelles qui s'ouvrent dans la béance des toitures ou des caves qui minent humidement les sous-sols, pour s'y donner quelques leçons de vertige et d'abîmes : Manosque des toits et des plateaux, quel observatoire fabuleux pour sonder Manosque des bas-fonds ! Giono se définit, lui-même, d'après Samivel, comme «un amateur d'abîmes»[18] et, pour les contempler, il ne suffit pas de monter : «Vous rêverez, dit-il, à ces grands plateaux couleur de violettes où l'autre Manosque est bâti et où vous n'irez jamais. »[19] Mais il y est allé, lui, pour nous y entraîner. Le dessous c'est l'eau ; mais le dessus c'est le vent et l'orage. «Ah ! n'être pas dans elle, mais sur elle, sur cette peau de truite des toitures, étendu sur ces écailles fraîches, caressé par le vent et les lèvres collées à la grande plaie violette du ciel, se gonfler peu à peu d'orage. »[20] La ville d'en haut, celle des toits et des greniers — grenier sonore comme une cale de bateau dans *Jean le Bleu*, «beau grenier blond» du *Hussard sur le toit* — il faudrait pour la dépeindre non pas des «vues» mais des sonates de Bach et des concerti de Mozart. Car dans le grenier où il rêve, le petit Jean rêve sur la musique de Décidément et de Madame-la-Reine[21]. Et cette musique rêvée sublime la basse-ville hantée, peuplée de monstres et de fantômes.

Manosque des ténèbres à laquelle Jean Giono reste profondément attaché sera donc également une ville à fuir vers l'ailleurs ou par le haut. Il ne l'a jamais quittée ; à l'ancienne mode, il est mort où il a vécu après y être né. Pourtant il a passé sa vie — c'est-à-dire son œuvre entière — à

IMPRIMERIE
MODERNE

LA DEPECHE
DES ALPES

COIFFEUR

Les Basses-Alpes Pittoresques

337. MANOSQUE   Place Saint Sauveur

Rue Grande, fontaine d'Aubette et fontaine des Observantins.

« La Grand'Rue, comme une source en un bassin, entre dans la verdure de "La Place". Beau rectangle d'ombre et de feuillages. » (Manosque des plateaux, p. 100.)

« Cette fontaine de transhumance est sur le bord de la ville, hors des murs. Elle émerge d'un antre sombre et elle appuie au ras de l'ombre son mufle épais à trois canons. Elle vomit sans grâce une eau plus transparente que du verre et si fraîche qu'elle tue les mousses et ces petits insectes chevaucheurs d'ondes à longues pattes qu'on appelle ici des tisserands. (...) Tout cet arrière-train de fontaine qui est dans l'ombre forme lavoir. Les femmes viennent là avec des caisses, s'agenouillent dans la paille et se mettent à pétrir leur pâte de linge. Mais elles ont vite froid, elles sortent alors au soleil et, bras nus, elles jouent à la balle. » (Manosque des plateaux, pp. 84-85.)

Qui se douterait que ces paisibles citadins, qui prennent le frais, vont bientôt tenter d'assassiner Angelo ? « Il voulut se laver à une fontaine. Il avait à peine plongé les mains dans l'eau du bassin qu'il se sentit brutalement saisi aux épaules, tiré en arrière (...) quelqu'un dit : "Écrasez-lui la tête" et il vit des pieds se lever... » (Le Hussard sur le toit, IV, p. 326.)

Martin édit.

Manosque - La Fontaine d'Aubette

19 MANOSQUE. — Fontaine des Observantins. — LL.

MANOSQUE
L'Église et Place St-Sauveur

Edit. Pécoulet Vassart - Manosque

9. - MANOSQUE. - L'Eglise Saint-Sauveur.

Manosque, l'église et la place Saint-Sauveur.

« *Le plus simple était d'aller s'abriter contre la rotonde de l'église. Là, pas de risques. Les arcs-boutants faisaient de l'ombre; ils semblaient recouvrir comme une tonnelle un petit endroit plat. C'était en effet une véritable tonnelle et un endroit plat recouvert de zinc.* » (Le Hussard sur le toit, IV, p. 354.)

Portail de l'église Saint-Sauveur.

« *Des coups retentirent à la fois sur la place et jusque dessous Angelo. Ils résonnaient même dans le vitrail à côté de lui. C'étaient des coups qu'on frappa longtemps dans la porte de l'église. Enfin, ils s'arrêtèrent et une voix cria trois fois : "Sainte Vierge! Sainte Vierge! Sainte Vierge!"* (…) *Qu'est-ce que tu feras de la raison et de la logique quand le premier "Sainte Vierge!" te remplit déjà le ventre au-delà du possible et que le second soulève le ventre comme la main soulève un sac par le fond pour le renverser et que le troisième vient par là-dessus avec des aloès, des amertumes insupportables, des raisons de tout envoyer balancer.* » (Le Hussard sur le toit, IV, pp. 357 et 358.)

Place des Ormeaux.

« *La fontaine des Quatre-Coins faisait l'insolente à côté du bureau de tabac. J'avais soif et je me mis à boire au canon. L'eau me coulait dans le cou.* » (Jean le Bleu, II, p. 62.)

La Durance.

« *Et je l'ai vue, à travers le voile d'un saule, parce que je m'étais approché comme la grive à l'appeau. Elle était sur l'autre bord de la Durance, dans un champ lisse comme du poil de chat. Elle arrosait le regain. C'était bien elle.* » (Un de Baumugnes, I, p. 232.)

Jean Giono employé de banque.
Devant la banque (Giono est le
troisième en partant de la gauche), en 1923.
*« Cette fois c'était bien le rapt. Mon
corps était toujours là, dans la ville ;
c'est lui qui avait quitté le collège et
qu'on tenait maintenant dans une banque. On le faisait asseoir devant une
table, il copiait des adresses. On lui
donnait des lettres, il allait les porter.
On l'appelait : "Va ouvrir la porte à
Madame." (...) La grande part, nul
n'y touchait. Elle s'appelait Jean le
Bleu. »* (Jean le Bleu, II, pp. 168-
169.)

la fuir : attachement passionné, trop passionné pour ne pas ressembler parfois à de la haine, son attachement pour ainsi dire ombilical à sa ville-mère exigeait un détachement non moins farouche.

Villages des plateaux

La géographie de l'œuvre s'éclate donc littéralement *autour* de ce centre attractif - repoussant dont finalement Giono a peu parlé (je veux dire proportionnellement à l'ensemble des pages qu'il a écrites) mais qui reste quand même omniprésent.

Et, pour commencer, la fuite s'est organisée vers les hauteurs et les plateaux, vers d'autres Manosque plus altières, plus montagnardes, vers ces villages de la Haute-Provence, qui n'était alors plus modestement que «les Basses-Alpes» : les Bastides Blanches de *Colline*, d'abord, et qui pourraient être n'importe quel village, le hameau type du haut-pays qui s'étend du Luberon à la montagne de Lure ; puis des fermes dans la vallée de la Durance, la Marigrate que l'on voit «à travers la chênaie de Cadarache»[22] ou la Douloire, ferme de douleur, dans *Un de Baumugnes*. De toute façon, Baumugnes, «la montagne des muets» chanteurs, reste un pays de là-haut, peuplé de musiciens purs et nobles dont le plus pur, le plus blanc, Albin, blanc comme Jean est bleu, «descend» pour sauver la fille perdue d'en bas, celle des bords de la Durance, Angèle. Avec *Regain*, ce village typique des hautes-terres, Aubignane s'inscrit sur la carte entre Vachères et la capitale du coin : Banon. «Aubignane est collé contre le tranchant du plateau comme un petit nid de guêpes ; et c'est vrai, c'est là qu'ils ne sont plus que trois. Sous le village la pente coule, sans herbes. Presque en bas, il y a un peu de terre molle et le poil raide d'une pauvre oseraie. Dessous, c'est un vallon étroit et un peu d'eau.»[23] C'est à Banon aussi qu'Angelo arrive à la tombée de la nuit, au terme de sa première journée de voyage à travers une infernale Provence calcinée jusqu'à l'os[24], et s'y saoule au bourgogne.

Je me demande si Giono ne nous a pas indéfiniment raconté le premier voyage qu'il fit à la fin de son enfance et dont il a parlé dans ses entretiens radiodiffusés avec Jean Amrouche, en 1953. Il avait environ dix ans — septembre 1904 — et son père lui propose de faire un voyage tout seul, pour le sortir un peu des jupes de sa mère-poule. Il lui donne cinq francs à la condition d'aller le plus loin possible et en dépensant le moins possible. Par la diligence de Vachères et Banon il quitte Manosque le soir et arrive, comme Angelo, de nuit à Banon. Un maquignon l'embauche et le voilà parti, le lendemain à l'aube, pour Sèderon à travers la montagne de Lure, les Omergues, la vallée du Jabron. Encore

Banon - Vue Générale

Banon - La Bourgade
Cliché Perret - Edit- Roman

Banon, vue générale.
« *Enfin, on abordera le plateau, l'étendue toute rabotée par la grande varlope de ce vent ; on trottera un petit quart d'heure et, dans une molle cuvette où la terre s'est affaissée sous le poids d'un couvent et de cinquante maisons, on trouvera Banon.* » (Regain, I, p. 325.)
« *Angelo poussa son cheval qui prit le trot. Il rejoignit un petit vallon qui, en trois détours, le mit au seuil d'une plainette au bout de laquelle, collé contre le flanc de la montagne, il aperçut un petit bourg cendreux dissimulé dans des pierrailles et des forêts naines de chênes gris.* » (Le Hussard sur le toit, IV, p. 265.)

13 — LES OMERGUES (B.-A.) — Vue générale

20/8/09

Edit. Gustave Garcin — Cliché

SIMIANE (Basses-Alpes). - Vue générale du Village

Les Omergues.

«*Angelo arriva au pas de Redortiers vers les neuf heures. De là il pouvait plonger ses regards dans la vallée où il allait descendre. De ce côté-là, la montagne tombait en pentes raides. Au fond, il pouvait voir de maigres terres carrelées, traversées par un ruisseau sans doute à sec parce que très blanc et une grand-route bordée de peupliers. Il était presque juste au-dessus, à quelque cinq à six cents mètres de haut de ce hameau que le garçon d'écurie avait appelé les Omergues. Chose curieuse : les toits des maisons étaient couverts d'oiseaux.*» (Le Hussard sur le toit, IV, p. 268.)

Simiane.

«*Les villages sont construits sur les collines, à la cime des rochers et de tous lieux escarpés d'où il est facile de faire dégringoler des pierres. En mettant ainsi d'accord son besoin de sécurité et son intention formelle d'y consacrer le moins d'efforts possibles, le Provençal s'est mis à l'air pur devant des plans cavaliers. Il y a des vues que les bourgeois qualifient d'immenses et de pertes de vue.*» (Arcadie... Arcadie, p. 182.)

une foire à Sisteron, et Jean revient à Manosque avec trois francs en poche par le train des Alpes.

Tous ces villages provençaux sont des villages morts ou en train de mourir : la Provence de Giono représente la fin d'un monde ; il est un des derniers témoins de la civilisation paysanne qui s'établit sur le pourtour de la Méditerranée du néolithique à la Révolution française. Vers 1930 l'agonie s'achève. Giono regarde mourir le monde d'Homère et de Virgile dans un de ses derniers réduits.

Il a donc peuplé son œuvre de ces villages squelettes ; seulement, au début, avant la guerre, il y mettait des hommes passionnés de les faire revivre, pas en y rafistolant des résidences secondaires, mais en y cultivant la terre : *Regain* c'est l'histoire d'une résurrection de la terre-matrie. Plus tard il les peuplera, si l'on peut dire, d'artistes non moins passionnés d'y mourir[25].

Corbières

Ainsi, quand le petit Jean, malade de Manosque plus que de son «croup», va se remettre au bon air, c'est à Corbières qu'il s'exile : curieux village où l'air est assurément très pur, mais où les habitants se suicident comme d'autres respirent[26].

Nous comprenons assez vite que Corbières c'est Troie en Provence où le beau cavalier (italien) enlève la femme du boulanger et va faire l'amour avec elle dans une «islette» de la Durance ; de quoi mettre le pays à feu et à sang pour des années mais, sans doute plus sages que les Grecs, les habitants de Corbières préfèrent convaincre la belle Hélène de la boulange de revenir honnêtement à la boulangerie : «C'est bien beau l'amour, dit César, mais il faut qu'on mange.»[27] Il faut lire d'abord dans *Jean le Bleu* ce terrible chapitre 7 dans lequel Jean, à peine adolescent, découvre ensemble et dans l'ardeur meurtrière de l'été «*l'Iliade* rousse» («Je lus *l'Iliade* au milieu des blés mûrs»[28]) et «l'odeur des femmes». C'est un curé défroqué, veuf d'une pute, qui lui enseigne Homère en gardant les moutons ; ce sont toutes les femmes qui apprennent *l'odor di femmine* à ce petit don Juan timide, autrement nommé Chérubin : «Si on a l'humilité de faire appel à l'instinct, à l'élémentaire, il y a dans la sensualité une sorte d'allégresse cosmique.»[29] Mais Aurélie, la femme du boulanger, lui révèle ce vertige de mort qui fascine au cœur de cette sensualité cosmique.

Alors, quand vous aurez lu cette fabuleuse éducation sentimentale de Jean le Bleu à Corbières, si naturellement tragique, bourrée de violence et de fureur, gonflée de tendresse et d'une si simple pudeur que nous appelons en Provence de la *fierté*, oubliez vite la trop fameuse *Femme du boulanger* de Pagnol, cette contrefaçon dénaturée qui

36

ne serait plus rien, depuis belle lurette, s'il n'y avait Raimu, vrai Provençal. Car pour le reste... Pagnol n'a vu l'*Iliade* rousse que par le petit bout de la lorgnette et rapetissé l'épopée cosmique en mélo pleurnichard : qui reconnaîtrait Homère dans cette lamentable histoire de cocu larmoyant et de garce repentie ? N'y reconnaissez surtout pas la Provence, ni le caractère provençal, cette fierté pétrie de pudeur, de tendresse et d'humour. Car la Provence (de) Giono est aussi secrète que Giono lui-même et c'est un secret bien partagé.

De Valensole-Verdun au Valais

A Corbières, Giono réglait ses comptes avec son enfance fabuleuse et terrible : rien de moins «enfantin» que *Jean le Bleu* si l'on fait de l'enfance un paradis niais sans histoires. Mais c'est à Valensole qu'il règle son compte à «cette connerie, la guerre» (Jacques Prévert, «Barbara» in *Paroles*). La grande guerre l'a radicalement déniaisé de toutes les idéologies dont les profiteurs saoulent leurs exploités. *Le Grand Troupeau* prélude à *Refus d'obéissance* et fait l'apologie de la désertion. Valensole n'est plus Valensole, c'est l'anti-Verdun ou le contre-Chemin des Dames. Moralité : ne soyez plus le mouton que l'on mène à l'abattoir. Désertez. Quand une société devient trop bête et monstrueuse — quand elle devient militaire —, fuyez-la, partez !

En 1931, quand il publie *Le Grand Troupeau*, en 1932 quand il écrit la fin de *Jean le Bleu*, Giono est un pacifiste «enragé» — on le serait à moins — et quand les prétendus moutons deviennent enragés ils sont comme des lions. Les déserteurs du *Grand Troupeau* mettent la crosse en l'air et fuient le massacre. *Le Déserteur*, au singulier, déserte, sans en avoir l'air, encore plus radicalement. C'est en 1966 que Giono a publié la biographie romanesque de Charles-Frédéric Brun, le peintre d'ex-votos de Nendaz, dans le Valais. Ce déserteur-là peignait la Vierge et les saints. Giono fait son portrait en saint-artiste pas très catholique. «C'est, à l'abord, un personnage de Victor Hugo»[30] : tous les errants de Giono ne sont-ils pas, en souvenir du père Jean, des Jean Valjean ? Jean Valjean saint (laïc) et peintre. Lui, c'est un déserteur de grand large ; s'il fuit vers les hauteurs du Valais, c'est pour s'approfondir, on s'en serait douté : «C'est un homme qui s'en va. Il ne s'arrêtera que lorsqu'il trouvera sur place une fuite en profondeur.»[31] Il ne fuit pas la guerre seulement, ni même l'armée ; simplement toute forme, quelle qu'elle soit, de contrainte sociale par corps et par âme, signifiée banalement par la peur du gendarme.

«Il est bien tout simplement un *déserteur* : il déserte une certaine forme de société pour aller vivre dans une autre.»[32] Ou encore : «Il a

Cliché J. Ruille C. Martinet éditeur

Valensole sous la neige

Collection C. Martinet, Aix-en-Provence

VALENSOLE (B.-A.) - Cour du Doyenné - Le Clocher de l'Eglise

Valensole, vue générale sous la neige.

« Au-delà de la Durance, le plateau de Valensole, bleu et toujours pareil, ferme la plaine comme une barre de vieux bronze. Il est le mauvais compagnon. Entendons-nous : il est pour moi l'ami magnifique, mais il est le mauvais compagnon de ces paysans des plaines. Il est le jeteur de grêle, le porteur d'éclairs, le grand artisan des orages. » (Manosque des plateaux, p. 20.)

Valensole, l'église.

« Le clocher sonna huit heures ; et le jour était sans changement, le soleil descendait, comme tous les matins, sur la pente des toits de la maison d'Alic. » (Le Grand Troupeau, I, p. 542.)

Jean Giono à Revest-du-Bion, au temps de Regain.

« Il est debout devant ses champs. Il a ses grands pantalons de velours brun, à côtes ; il semble vêtu avec un morceau de ses labours. Les bras le long du corps, il ne bouge pas. Il a gagné : c'est fini. Il est solidement enfoncé dans la terre comme une colonne. » (Regain, I, p. 429.)

J'ai fait mon premier voyage en 1905 dans cette voiture. Elle faisait le service entre Valensole et Manosque.

déserté d'une société ; il a fui la société bourgeoise ; c'est bien le fait d'un timide. »[33] Et comme il n'y en a plus vraiment d'autre, il s'en fabrique une dans ce coin, encore un peu à l'écart de tout, de la Haute-Nendaz. C'est une société de «saints» montagnards : il peint pour leur faire plaisir, et donc «pour qu'ils lui foutent la paix», les paysans du Valais en couleurs euphoriques ; il se fait ainsi admettre comme travailleur-artiste : «Les tableaux sont de longs monologues qu'il adresse à ceux dont sa vie dépend. Monologues dans lesquels, à la fois, il parle franchement et suivant un poncif ''Bonne Presse'' ; dans lesquels il se livre et il se cache. »[34] Il vit donc pauvre, ignoré, relativement heureux en attendant sa désertion définitive : la mort. «Au diable les gouvernements et les gendarmes, ce cœur qui ralentit son mouvement confectionne tout seul la plus merveilleuse des amnisties avec les moyens du bord. Quelle magnifique tanière que la mort ! Et comme il s'y sent à l'abri ! Comme il a enfin le temps de penser aux choses importantes. »[35] La plus irréductible espèce des anarchistes est celle des anarchistes doux : ils ne font pas sauter le monde noir, ils le refont «en couleurs». La Provence de Giono n'est pas nécessairement en Provence : elle se trouve dans n'importe quel cœur situé un peu haut ; et surtout à côté, *juste* un peu de travers.

L'anarchisme, Jean Giono l'a sans doute hérité de ses ancêtres les *carbonari* piémontais, mais c'est une belle plante qui «vient» bien chez nous : les «autorités» (civiles, religieuses, militaires) n'ont jamais fait leurs choux gras dans ce pays d'individualistes secrètement solidaires.

Quiconque chercherait dans *Le Grand Troupeau* je ne sais quelle bergerie provençale façon Daudet resterait donc sur sa faim : finissons-en, voulez-vous, avant de nous mettre en colère, avec les bergers, les petits moutons, les lavandes, le ciel bleu et des paysans «authentiques» comme des santons ! *Le Grand Troupeau* s'achève sur une sorte de *pastrage* de Noël ; mais à Valensole les déserteurs ne jouent pas le folklore des Baux, ce serait plutôt : «Merde à la guerre, vive la vie et vive l'anarchie !» Ou plutôt, car Giono est un anarchiste plein de tendresse, le triomphe de la vie contre l'absurdité du meurtre collectif.

Errances

Les Bastides Blanches, la Douloire-sur-Durance, Vachères, Aubignane, Banon, Corbières, Valensole… au début Giono ne semble guère s'écarter de Manosque. On l'estimerait casanier si l'on ne découvrait déjà tout un monde dans ce canton des Basses-Alpes. C'est vrai qu'au début les personnages de Giono ont l'air de vouloir s'enraciner au pays, et le modèle en serait Panturle, à la fin de *Regain*, «solidement enfoncé dans la terre comme une colonne»[36]. Mais seraient-ils tellement préoccupés de s'installer s'ils ne sentaient pas le sol se dérober sous eux ?

40

Regardez-y de plus près, ces prétendus sédentaires sont des errants, ces installés, des personnes déplacées, ces casaniers, des nomades. Sa maison de Manosque, Jean le Bleu l'appelle «la maison des errants» et la peuple de séducteurs, d'anarchistes, de baladins, de fous, de putes, d'exilés. Avec *Le Grand Troupeau* s'affirme l'interminable «transhumance» de l'œuvre : Giono ne tient pas en place, il remue ciel et terre, en ayant l'air de «faire du sur place». C'est un *boulegoun*, il a le *boulegun*. On dirait encore que c'est «un inquiet».

A travers sa Provence il nomadise et c'est un voyage autour de sa chambre qui le mène aussi loin que Melville à la poursuite d'une baleine blanche : «L'homme, écrit-il, a toujours le désir de quelque monstrueux objet. Et sa vie n'a de valeur que s'il la soumet entièrement à cette poursuite. Souvent, il n'a besoin ni d'apparat ni d'appareil; il semble être sagement enfermé dans le travail de son jardin, mais depuis longtemps il a intérieurement appareillé pour la dangereuse croisière de ses rêves. Nul ne sait qu'il est parti; il semble d'ailleurs être là; mais il est loin, il hante des mers interdites. Ce regard qu'il a eu tout à l'heure, que vous avez vu, qui manifestement ne pouvait servir à rien dans ce monde-ci, traversant la matière des choses sans s'arrêter, c'est qu'il partait d'une vigie de grande hune et qu'il était fait pour scruter des espaces extraordinaires.»[37] Il n'est pire eau que l'eau qui dort. Ce regard qui transperce l'apparence des phénomènes, ce regard *bleu* ne voit dans la prétendue réalité que l'envers de l'imaginaire... où tous les chemins sont ouverts sur «les mers interdites».

Quand on pense, quand on pense que certains idéologues myopes, mais d'une myopie sélective et pas du tout désintéressée, ont prétendu faire de Giono un prophète du retour à la terre et de l'enracinement conformiste dans une Provence pastorale! Comme si la Provence de Giono était «la France profonde» du maréchal Pétain ou de ses modernes émules! Pourquoi pas le «pays réel» de Maurras et de certains félibres? Pourquoi pas Giono jouant du tambourin et du galoubet à la quinzaine commerciale de Manosque ou au congrès des anciens combattants de Verdun?

La montagne

Quand il élargit ses horizons, Giono ne saute pas très loin, de Corbières ou de Valensole jusqu'au pays Rebeillard, au plateau de Grémone ou à la région de Tréminis : il s'annexe le sud de la Drôme et des Hautes-Alpes. Mais une chose est certaine : *il monte*. Dans les années trente et dans l'avachissement de «l'entre-deux-guerres», l'anarchiste pacifiste Giono prend de la distance et de la hauteur. Son paysage intérieur et provençal se fait plus âpre, plus escarpé : c'est un haut plateau

5689 73 Route de Villard-Notre-Dame

Au pays de *Batailles dans la montagne* : Le Trièves.
Villard qui a donné son nom à Tréminis, rebaptisé Villard-l'Église.
Le torrent de l'Ebron.
« *Quand l'eau s'était mise à monter sur tout le pays, à mesure qu'elle montait l'Ebron s'était enfoncé au fond de l'eau, l'Ebron et les trois autres torrents, mais ici c'était lui. (...) Le pont entre Méa et Villard-l'Église n'avait pas été emporté comme l'avaient dit les femmes réfugiées à la poste le soir du départ de Bourrache. Il avait été plié seulement...* » (Batailles dans la montagne, II, p. 859.)

Le Ferrand.

« ... il se tournait du côté des montagnes et voilà qu'au-dessus de la brume
sur un peu plus clair de ciel montait,
comme un cacatois de misaine, le glacier carré du Ferrand. (...) Soudain,
au détour de la rue, Matelot se trouva
devant la montagne. Le vent de nuit
l'avait découverte tout entière. Tous les
glaciers frémissaient. Malgré le grand
vent, le navire de la mort portait toutes ses voiles jusqu'en haut du ciel
comme une montagne. » (Le Chant
du monde, II, pp. 355 et 372.)

Le glacier.

« On voyait maintenant le nouveau
maître de la lumière. C'était le glacier,
celui qu'on appelait la Treille de Villard, n'étant pas loin perdu là-bas au
fond de tout le massif de montagne,
mais suspendu juste au-dessus du village, (...) assis sur des entassements
noirs de schistes déserts, sans une herbe
ni un arbre, avec sa glace grise bavant
le long des vallons nus, deux ou trois
torrents de fer brillants sans un bruit
d'eau. » (Batailles dans la montagne, II, p. 789.)

tranché par des gorges profondes ou une montagne chargée de glaciers comme de voiles blanches. A travers ces gorges comme vers le sommet de la montagne pérégrinent des espèces de prophètes fous *désespérément* humanistes (la seule façon intelligente de l'être, à l'époque), jongleurs, clowns (Bobi, dans *Que ma joie demeure*), chanteurs-poètes (Antonio, alias «Bouche d'or» dans *Le Chant du monde*) ou prophètes, mi-ermites mi-gourous, comme le saint Jean de *Batailles dans la montagne*. Hippies avant la lettre, et pas encore défraîchis par la récupération folklorique, solitaires en quête de «communautés» pas encore touristiques, ils célèbrent tous la joie terrible d'exister ; terrible parce qu'ils savent bien, au fond, qu'elle ne peut pas *demeurer*. C'est une allégresse qui s'expose sur les grands chemins de l'imaginaire et de la terreur, allégresse explosive et meurtrière d'être au monde : mais que c'est beau *quand même* d'exister !

La montagne, elle est, comme la mer, interdite, fascinante pour Giono dans son impénétrable et menaçant secret. Certes, nous savons que le Ferrand et son glacier, dans le Trièves au-dessus de Tréminis (Giono passa des vacances estivales à Saint-Julien-en-Beauchêne en 1930 et 1931 et ensuite à Lalley, en 1936) hantent l'imaginaire gionien, mais à la manière d'un grand voilier de haute mer : «Soudain, au détour de la rue, Matelot se trouva devant la montagne. Le vent de nuit l'avait découverte tout entière. Tous les glaciers frémissaient. Malgré le grand vent, le navire de la mort portait toutes ses voiles jusqu'en haut du ciel comme une montagne.»[38] La montagne vaisseau-fantôme vogue *naturellement* sur la mer interdite. Dans *Noé*, ce sera la Sainte-Victoire : «D'ici la montagne, avec sa fantastique voilure de rochers blancs, est comme un vaisseau fantôme de plein jour. Le Hollandais-Volant de midi.»[39]

De toute façon, montagne-mer-mort signifient partout dans Giono l'espace de la transgression de l'interdit ; l'espace où l'artiste doit se risquer pour tout gagner (la beauté du monde) en tout perdant (la vie réelle). Il serait également vain de *situer* exactement les gorges qui ouvrent l'accès du mystérieux pays Rebeillard où, nouvel Ulysse, Antonio aborde comme aux Enfers, au pays des morts de la mythologie grecque. D'aucuns pensent à la haute vallée de la Durance — Giono passa des vacances au hameau des Queyrelles au-dessus de Briançon, à partir de 1936, durant sept ans ; mais il faut se rappeler que Giono, prospectant des paysages pour tourner un film d'après *Le Chant du monde*, les chercha vers Jausiers dans la haute vallée de l'Ubaye. Mais je pense qu'il faut, en dehors de toute érudition, rêver l'odyssée d'Antonio et de Matelot vers les pays des morts dans les gorges du Verdon, autrement plus inquiétantes. Giono, qui séjourna souvent à Gréoux-les-Bains où il «faisait sa cure», connaît comme sa poche cette région du plateau de Valensole, de la vallée de l'Asse à Moustiers-Sainte-Marie et à Castellane. En 1929, au printemps qui suivit la publication de *Colline*, Giono

Gréoux-les-Bains, le château des Templiers.
On imagine plus volontiers Giono faisant ici une cure d'altitude spirituelle dans ce nid d'aigle, que prenant les eaux en bas. C'est pourtant en bas qu'il faisait (comme tout le monde) sa cure.

La montagne Sainte-Victoire.
« D'ici, la montagne, avec sa fantastique voilure de rochers blancs, est comme un vaisseau-fantôme de plein jour. Le Hollandais-Volant de midi. »
(Noé, III, p. 707.)

Gréoux-les-Bains. 13.- Tour du XI Siècle à Esparron sur Verdon

La quarantaine de Vaumeilh.

« Ils débouchèrent sur une vaste esplanade éblouissante de blancheur, devant le portail d'un château fort. C'était la tour carrée qu'on avait vue de la route. On découvrait d'ici le vaste flottement en rond de toutes les montagnes. "Vous serez au bon air", dit Dupuis. » (Le Hussard sur le toit, IV, p. 528.)

Giono a tout simplement situé à Vaumeilh, près de Sisteron, le château des Castellane, à Esparron.

Le vieux Bras d'Asse.

« Dès qu'il y a une dizaine de maisons collées au rocher comme un nid de guêpes, une maison plus vigoureuse les domine. En réalité, c'est l'inverse qui s'est passé. L'homme fort et qui trouvait précisément dans la solitude ses raisons de vivre a construit ses murs le premier : les autres sont venus s'abriter à côté. Généralement celui qui venait ainsi se placer par goût ou par calcul dans les hauteurs n'avait pas le sens commun. Il savait toujours exprimer sa fierté, son orgueil et même certaines subtilités farouches de son caractère dans les murs qu'il dressait. » (Arcadie... Arcadie, p. 183.)

avait même été invité par tout un village pour y discuter de son roman, le village de Puimoisson. C'est dans *Arcadie... Arcadie* qu'il a rendu le plus bel hommage à ce pays selon son cœur où il fait, dit-il, «une tournée des grands-ducs (...) que je me paye quand je veux vraiment être heureux»[40]. «J'ai choisi cette vallée de l'Asse, dit-il encore, parce qu'elle est sévère et que, pour tout dire, elle passe pour être pauvre. Elle s'enfonce, en effet, dans les montagnes où le climat est rude et la terre pleine de cailloux roulés.»[41] Oui, mais aussi : «Large ouverte d'abord, elle porte dans ses bras d'admirables vergers d'amandiers. Il faut les voir au couchant. C'est l'image même d'un de ces désespoirs lyriques (et cependant sans emphase) comme il s'en trouve dans les âmes grecques aux prises avec le malheur.»[42] Pays terrible, terrible et beau...

Dans ces montagnes fantômes, Giono *situe* d'ailleurs non des lieux mais des batailles : il refait toujours l'*Iliade* — guerre et meurtre pour une femme, c'est moins bête que pour «la patrie» — et l'*Odyssée* avec pour unique voyage celui qui mène, au-delà du pays que l'on voit, vers celui que l'artiste revoit — «que dans une autre existence peut-être...» et *projette.*

Le Contadour

Si Giono a commis une erreur — noble erreur et surtout *passagère,* — assurément, c'est quand il a (plus ou moins consentant, plus ou moins aveuglé par l'enthousiasme de ses admirateurs) cru pouvoir situer quelque part son rêve de solitude communautaire, égaler son désir à la réalité, comme si c'était possible «dans un monde où l'action n'est pas la sœur du rêve». Car il existe un haut-lieu gionien *réel*; et comme de juste, c'est le haut-lieu d'une catastrophe de haut vol : le Contadour.

Entendons-nous bien : un grand rêve, même déçu, reste grand; et il a quand même existé, si peu que ce soit, contre vents et marées; tandis qu'une sagesse plate n'en finit jamais de *s'affesser.* Les utopies même vaincues ont toujours, sur l'histoire, l'avantage d'anticiper. Et le Contadour, avec ses contadouriens, demeure, nostalgiquement et prophétiquement, le lieu de la Provence *intérieure* où pendant quelques mois des hommes et des femmes ont cru réaliser la communauté fraternelle et anarchiste dont le modèle idéal se trouvait dans *Que ma joie demeure.*

Ils auraient dû regarder de plus près : ces communautés gioniennes étaient mortelles et même meurtrières, lieux de «batailles» et de mort. Car Giono rêvait un anarchisme communautaire en expérimentant sa propre solitude face au destin. Bientôt renonçant à son rôle de prophète humaniste (et «convivial» avant la lettre), Giono s'affirmerait comme

Vallée du Verdon   **Castellane** (Altitude 720 m)   Vue générale
Cliché J. Fournier.   11

4 – Les Gorges du VERDON, à 2 kilᵐ en amont du Grand Cañon
et vue sur le village de Rougon
Gorges sublimes et tragiques
(A. Dumazet)

Briançon - Gorges de la Durance sous le Pont d'Asfeld

Papeterie des Alpes Eug. Robert, Grenoble

Environs de Digne. — La Clue.

« *Le fleuve traversait tout le pays Rebeillard, étendu sur la terre avec ses affluents, ses ruisseaux et ses ramilles d'eau comme un grand arbre qui portait les monts au bout de ses rameaux. En bas, dans le sud, il entrait dans les gorges. Là, on n'entendait plus que le grondement de l'eau, et les clapotis, et le cri des gelinottes qui se reposaient sur les rochers. On n'était qu'au milieu du jour et déjà la brume s'épaississait. Antonio entra dans les gorges du fleuve* (...). » (Le Chant du monde, II, p. 209.)

Le site du Contadour.
« Sur ce plateau ondulé comme la mer, tout disparaît dans des creux de vagues. On a à peine le temps de se retourner : la ferme, le village, l'arbre se sont enfoncés et d'autres choses émergent, justement à travers les bouleaux, la route se soulève, et au fond de l'avenue des arbres la montagne bleue apparaît. (…)
Je me demande si ce que je vois là-bas est une ferme à forme de colline ou une colline à forme de ferme. La sauvagerie est contre elle et sur elle. » (Provence, III, pp. 213 et 215.)

Arbre mort sur le plateau.
« Dans le contre-jour du couchant qui exalte le sol, les arbres ne sont que des formes noires, tordues de vent. Le vent n'a pas besoin de souffler. Même par les journées fort calmes, il est présent dans ces troncs qui ont été comme essorés par une poigne de fer et qui ne peuvent plus se détortiller. De même, Cassandre, immobile au seuil d'Agamemnon, avant qu'elle ne se mette à crier; ou Œdipe qui peine dans les chemins de Colone. » (Arcadie… Arcadie, p. 213.)

Un groupe de Contadouriens, au Revest-du-Bion, autour du peintre Eugène Martel.

Jean Giono et le peintre Lucien Jacques, au Contadour.

Un Contadourien face à la montagne de Lure.

« Tout s'écarte d'ici avec justice. Et le paysan au fond des plaines basses, s'il regarde cette montagne comme je la regarde, moi, d'ici, il la trouvera logique par rapport à l'endroit où il est, comme je la trouve logique par rapport à l'endroit où je suis. Les larges assises qui contiennent sa plaine permettent au divin sommet de ne pas l'écraser d'une puissance trop farouche, et pour moi elles m'ont haussé dans des quartiers du ciel où la présence de la montagne est une amicale compagnie. L'espace autour d'elle est tout libre; il y a de la place pour elle et pour moi et la splendeur secrète contre laquelle est venue s'éblouir ma route est qu'il y a de la place pour tout et qu'une matière divine accueille tout, et même moi qui arrive, sans qu'il y ait le moindre retard dans l'affection tout de suite accordée de ses vastes épaules légères dans le ciel clair. » (Provence, III, p. 213.)

un grand solitaire, humoriste bienveillant, mais hanté de somptueux et cruels désastres intérieurs.

La voilà donc la Provence montagnarde de Giono, hautaine, âprement réservée, plus close qu'un jardin secret, *hortus conclusus* mystique — mais ce mystique baladeur et délirant est un matérialiste agnostique : il ignore tout du spirituel et plus encore du surnaturel, mais il *voit* dans les apparences du monde sensible (pas «derrière» ni «au-delà», mais *dans*, «superposé en volume») ce qu'il appelle volontiers *«l'arrière-pays»* ou «le côté *fond des choses*».

Les deux Provence

Avec un fanatisme intransigeant, altier, sans concessions, il partage en deux la carte géographique de la Provence, et il ne *reconnaît* que celle d'en haut : il ne légitime pas celle d'en-bas. La haute Provence, aristocratiquement plébéienne, elle, commence au nord de la Durance et s'annexe une partie du Dauphiné, de Manosque au Diois et du Ventoux aux gorges du Verdon. «La montagne est ma mère. Je déteste la mer, j'en ai horreur. A Manosque, je vais toujours me promener vers l'est pour, au tournant des collines, voir apparaître, dans l'échancrure de la vallée de la Durance, le vaste bol d'opaline où sont entassés les énormes morceaux de sucre des Alpes.»[43] Toujours la montagne mère-nourrice, la mère qu'il aime; et la mèr(e) qu'il déteste ou plutôt dont il a «horreur», c'est la mer à laquelle il n'est finalement pas moins attaché, en imagination. Mais alors ce n'est plus la Méditerranée-romance, c'est une mer des Ténèbres et des Tempêtes.

L'autre Provence donc, il la répudie précisément parce qu'elle est la côte d'Azur. Partant pour l'Italie, il évite «la côte» et prend par le Montgenèvre. Pourquoi? «Aborder l'Italie par la mer, c'était l'aborder écorché vif. Il fallait longer d'abord toute cette côte d'Azur si vulgaire, et suivre ensuite, tout autour du golfe de Gênes, les rivières du Ponant et du Levant. Cela faisait beaucoup trop de papier de verre, de râpe à fromage, de kilomètres de femmes à poil en train de sécher.»[44] Ce qu'il appelle d'ailleurs «le pemmican en train de sécher sur le sable»[45]. Et dans *Noé* il repère, sur la photo des *Noces*, que : «C'est un village du Var ou des Alpes-Maritimes; j'ajoute que c'est un village pas très loin de la mer à cause des maisons *fardées*. Les maisons ont du rouge à lèvres, du bleu à paupières et de l'huile à brunir. C'est sûrement un truc pas très loin de Cannes : Juan-les-Pins, Nice peut-être même. Ça sent le rastaquouère, le dancing et le foutoir en plein air. Je suis sûr que, si je regarde mieux le cortège (je vais le regarder à la loupe, *mot à mot* si on peut dire), je vais trouver certainement la gueule d'un de ces paysans qui fauchent en slip. Et quand je dis fauchent, c'est parce que c'est un

54

135 — NICE. Les Ponchettes. ND Phot.

634 — NICE. La Promenade des Anglais et le Palais de la Jetée-Promenade. ND Phot.

La côte d'Azur quand elle n'était pas encore «un foutoir en plein air».

«Il ne faut pas oublier que cette mode est récente (je parle de venir se rôtir sur la côte d'Azur...). Il y a seulement cinquante ans, parler de Nice c'était parler de l'hiver au chaud et on y portait boas de plumes et ombrelles.» (Arcadie... Arcadie, p. 228.)

Le Lavandou pas encore bétonné.

«Beaucoup de petits trous qui sont maintenant des endroits sélects étaient des villages de pêcheurs, et de pêcheurs qui pêchaient avec beaucoup de prudence.» (Arcadie... Arcadie, p. 228.)

terme consacré ; en réalité, ces paysans en slip ne *fauchent* pas ; ils cueillent des tomates ou des œillets. »[46]

Nous savons bien que cette Provence-là, faite pour touristes, le ferait *déparler*. Il la répudie, lui qui *comprenait* passionnément la femme du boulanger (Pagnol, hélas ! lui *pardonne*), parce que c'est une Provence exhibitionniste, racoleuse, *vendue* : l'antithèse de la Provence pudique et secrète. La Provence sans fierté.

Mais cette malheureuse *colonie* est-elle encore la Provence ? Non. « Comme tout le monde, je connais ce qu'on appelle bêtement la côte d'Azur. Quel est le *chef de rayon* qui a inventé cette appellation ? Si on le connaît qu'on le décore : il avait le génie de la médiocrité. Notre pays est en toute saison traversé par le fleuve de Parisiens, de Belges, d'Anglais et d'Esquimaux qui va se jeter dans la Méditerranée. C'est un Mississipi qui déborde en une Louisiane de marais, de crocodiles et de crapauds-buffles. Sur la côte, on débite l'azur comme un thon. Pas une dactylo d'Anvers, de Roubaix ou de Glasgow qui ne rêve de faire sa cocotte et sa grande coquette en en bouffant une tranche. On arrive et on se fout à poil. Rien de commun avec le vrai pays. »[47] Lisez la suite et vous découvrirez avec lui, sous l'azur de la côte à poil, le « vrai pays » de la Provence maritime, la Provence d'Ulysse, celle des navigateurs poètes.

Bien évidemment, ces deux Provences-là sont mythiques, et le touriste gourmé (et huppé) qui « monte » vers la Haute-Provence comme vers un Sinaï mystique de l'écologie et de la spiritualité « franciscaine » (humilité-pauvreté) ne devrait pas se draper dans son altitude pour mépriser les congés payés sans âme qui s'entassent sur ce que la « côôôte » conserve encore de plages non privées. Car il n'est pas plus « gionien » ni « provençal » que l'autre. Le « gionisme », en dehors de Giono, qu'est-ce ? Il nous aurait certainement invités à *devenir nous-mêmes* (car il était secrètement nietzschéen), mais certainement pas à nous fabriquer une âme « gionesque ».

Manosque

Lire en priorité :
1. *Jean le Bleu*, O.R.C., t. II, pp. 3-186, première édition 1932, Bernard Grasset.
2. *Manosque des plateaux*, éd. Émile Paul, Paris, 1955. Première édition : 1930.

3. *Le Hussard sur le toit*, O.R.C., t. IV, chap. 6, 7, 8, pp. 324-435. Première édition : Gallimard, 1951.

On peut compléter ensuite avec :
1. *Noé*, O.R.C., t. III, pp. 611-862. Première édition :

La Table ronde, 1947. Le récit s'ordonne autour de Manosque et du Mont d'Or, animé d'une force centrifuge : Giono fuit Manosque.

2. *Pages immortelles de Virgile*, Corrêa, Paris, 1947, ou O.R.C., t. III, pp. 1019-1068. Pour compléter les souvenirs d'enfance à Manosque.

3. Dans *L'Eau vive*, O.R.C., t. III : *Son dernier visage* (pp. 275-283) et *La Ville des hirondelles* (pp. 283-289) : la mort du père.

4. *Arcadie... Arcadie*, Gallimard, «Folio», 1976. Texte de janvier 1953.

Corbières et Sainte-Tulle

1. *Jean le Bleu*, O.R.C., t. V, chap. 6-7, pp. 71-118.
2. *Noé*, O.R.C., t. III, p. 831.
3. *Virgile*, O.R.C., t. III, pp. 1060-1063.

Pour mieux connaître Giono anarchiste et pacifiste

1. *Refus d'obéissance*, Gallimard, Paris, 1937.
2. *Vivre libre* I (Lettre aux paysans sur la pauvreté et la paix), Grasset, Paris, 1938.
3. *Vivre libre* II (Précisions), Grasset, Paris, 1939.
4. *Les Vraies Richesses*, Grasset, Paris, 1936.
5. *Le déserteur*, Gallimard, «Folio», 1973.

Les deux Provences

Elles sont face à face dans *Arcadie... Arcadie*, in *Le Déserteur et autres récits,* Gallimard, «Folio», 1978, pp. 181-238.

Historiquement, la Provence de Giono correspond à la *Narbonnaise seconde*, partie médiane de la *provincia romana* qui englobait les bassins de la Durance et du Buech, de l'Arc et de l'Argens.

Actuellement : le haut Var, les Basses-Alpes (partie occidentale), la partie occidentale encore des Bouches-du-Rhône, du Vaucluse et des Hautes-Alpes jusqu'au col de la Croix-Haute. Elle laisse à l'ouest la Viennoise, la Provence de Mistral autour d'Arles et d'Avignon, et à l'est les Alpes-Maritimes ; et au sud la côte méditerranéenne, sauf entre Cannes et Saint-Tropez. Cette Provence-là est centrée sur le comté de Forcalquier de la Provence médiévale.

Géographiquement, cette Provence a été circonscrite par Jean Giono lui-même dans un texte publié dans le *Bulletin de l'Association des Amis de Jean Giono*, n° 13 (août 1980), pp. 15-17 (Rico éditeur, Manosque). D'un point de vue disons ethnologique c'est la Provence des «gavots», des montagnards qui parlent une langue d'oc un peu plus âpre, un peu plus ferme que ceux d'en bas, de la basse Provence et qui la parlent jusque dans les Hautes-Alpes et la Drôme «dauphinoises».

Provence de l'arbre : l'olivier

6. — *La Provence.* - Cueillette des Olives.

Pourtant Giono n'est pas seulement, ni même d'abord, un druide celto-ligure, car il est surtout un aède grec. La forêt certes, et le chêne, sont *divins*, ils plongent «dans la nuit des temps», où *l'homme se perd*. Certes il est bon, et superlativement beau, «actuellement», de se perdre ailleurs que dans l'insignifiance moderne. Mais s'il se retrempe en se *reposant* dans l'ombre de cette nuit, comme Antée refaisait ses forces en touchant terre, Giono n'ignore pas que le divin, le sacré, la nuit sont aussi l'*inhumain*, et qu'il faut s'en garder comme du choléra et de la folie. L'artiste moderne, qui n'a guère le choix, est tenté — mais c'est une tentation — de fuir dans l'inhumain les inhumaines conditions de vie modernes, de se démesurer *ailleurs*. Mais à cette démesure, l'aède grec opposait — et, en Giono, oppose encore, contradictoirement — une sagesse à mesure humaine, fondée sur la lumineuse continuité des travaux et des jours. Cet artiste démesuré rêve de travail et de sagesse artisanale et paysanne.

Or, un Grec ou un Provençal, quand ils sont sages, ne cultivent pas leur jardin, comme tel philosophe septentrional : il cultive son oliveraie. Vous apprendrez facilement dans *Arcadie... Arcadie* comment «mener» une olivette : c'est un travail d'artiste et de roi fainéant.

L'arbre *humain*, par excellence, l'arbre à la mesure du travail et de la joie humaines, c'est l'olivier, l'arbre de Minerve-Athéna, déesse de la sagesse et de l'intelligence. Même quand sa souche se perd dans la nuit des temps, l'olivier reste un arbre lumineux. Et civilisé. Nous sommes, en Provence, de «la civilisation de l'olivier»[127]. Et il faut situer cette

«civilisation de l'olive» entre deux «barbaries» : la sauvagerie primitive des forêts de chênes (disons la civilisation du gland) et l'inculture moderne ou «civilisation de la nèfle», qui vaut des nèfles.

«*Mener* des oliviers est un travail d'artiste et qui ne fait jamais suer (...) Ce n'est donc pas très exactement *faire néant*, mais c'est incontestablement faire peu, avoir sa liberté totale, vivre; et même vivre à son aise.»

En somme, la civilisation industrielle moderne *en fait trop* : en 1980, même les économistes et les technocrates, pas tous, commencent à s'en apercevoir. Assurément l'Arcadie provençale de Giono est un mythe, le mythe d'une contre-société moderne : l'utopie d'un monde où le travail serait pour tous un travail d'artiste, un travail pour se faire plaisir et pour inventer de la beauté. Quand c'est un poète surréaliste et communiste qui proclame cela, il prophétise «les lendemains qui chantent», et son utopie devient progressiste. Pourquoi celle de Giono serait-elle seulement passéiste? Il lui suffit d'exister comme utopie. N'est-ce pas sa manière à lui d'être «réaliste»?

Dans la Provence-Giono, la civilisation de l'olive équivaut à celle de la parole : quand il fait ses olivades, dans *Noé*, on voit bien qu'il cueille ses olives comme des

mots, une à une, et comme il choisit ses mots pour en exprimer le sens. Car sa parole est d'huile. Bachelard a célébré, dans *L'Eau et les Rêves*, la parole de l'eau — «l'eau vive» selon Giono — et la parole qui coule de source comme une eau. Giono parle d'huile (et d'olive). Ses *fainéants* qui *mènent* les oliviers comme d'autres sont des pasteurs de paroles, ses bergers d'arbres, sont tous des pauvres en esprit : ils ne parlent pas d'or, sauf peut-être Saint-Jean et Antonio «bouche d'or», dans *Le Chant du monde*. Mais, comme le Djouan de *Jean le Bleu,* leur chanson coule d'huile : «Il en était transfiguré, le parleur, comme huilé d'une lumière plus riche d'huile que la lueur pâle de notre lampe de cuivre.»[129]

Et l'huile d'olive est donc une nourriture spirituelle autant que matérielle : en Provence de Giono, l'homme «ne vit pas seulement de pain», il se nourrit de *fougasse* : «C'est encore maintenant pour moi le meilleur dessert du monde. Spécifiquement provençal celui-là. Mieux : je le soupçonne d'être grec. Longtemps j'ai imaginé Ulysse, Achille et même Ménélas nourris de fougasse à l'huile.»[130] La fougasse gréco-provençale opère en effet la synthèse concrète de la civilisation de l'olive et de celle du blé.

DESCENTE AUX ENFERS

Dépaysement

Paradoxalement, les deux seules grandes villes qui trouvent grâce auprès de ce villageois montagnard sont des ports : Marseille et Toulon. Et ce paradoxe gionien, il nous faut l'*approfondir*.

D'abord historiquement. Vers 1939 un certain mythe Giono poète paysan pacifiste achève de se constituer... au moment même où Giono lui-même s'en évade. L'Histoire s'en mêle : la déclaration de guerre et l'arrestation de l'auteur de *Refus d'obéissance*, incarcéré au fort Saint-Nicolas, sur le Vieux-Port de Marseille, mettent un terme à l'expérience communautaire et anarchisante du Contadour et *semblent* amorcer un tournant de son œuvre. Giono, comme on dit, tourne la page. En fait il amorce moins un virage qu'il ne s'approfondit dans une plus rigoureuse fidélité à soi-même.

Il était devenu notre Homère, et plus certainement Orphée, on le croyait grec ou latin comme un humaniste classique : il était *dionysiaque* et *apollinien* à la manière de Nietzsche, il était un tragique du XXe siècle. Le malentendu, somme toute banal dans la tradition de l'humanisme classique et de l'université française, le malentendu consistait dans une omission ou plutôt dans une véritable restriction mentale : on oubliait — pour se rassurer — les abîmes dionysiaques du gionisme et l'on montait pour ainsi dire en épingle ses altitudes apolliniennes : la beauté, la joie, le sublime... sans la tragédie ; la haute montagne sans les abîmes.

Or Giono connaissait bien déjà ses gouffres intimes que tant d'admirateurs ne voulaient pas voir. A la faveur de la guerre et des ruptures qu'elle accomplit, Giono se délivre donc d'une certaine effigie de lui-même où certains l'auraient volontiers *fixé,* académiquement. La lecture et la traduction de *Moby Dick*, entre 1938 et 1941, lui apportent une nouvelle expérience de la mer et de ses abysses : « Mais à l'heure où le soir approfondit nos espaces intérieurs, cette poursuite dans laquelle Melville m'entraînait devenait plus générale en même temps que plus personnelle. Le jet imaginaire fusant au milieu des collines pouvait retomber et les eaux illusoires se retirant de mon rêve pouvaient laisser à sec les hautes terres qui me portaient. Il y a au milieu même de la paix (et par conséquent au milieu même de la guerre) de formidables combats dans lesquels on est seul engagé et dont le tumulte est silence pour le reste du monde. On n'a plus besoin d'océans terrestres et de monstres valables pour tous ; on a ses propres océans et ses monstres personnels. »[48]

On aurait pu s'apercevoir plus tôt que la Provence de Giono n'était pas bucolique mais *monstrueuse* ; que son paysage des hauteurs, plateaux, collines et montagnes ne suggère pas du tout ''la paix des cimes'' mais l'effroi, l'épouvante des abîmes d'en haut ; que les sommets gioniens sont brûlés[49], incendiés[50], dynamités[51] et que les saints et les héros, les sages même qui les hantent, sont dévastateurs.

Désormais, à la grande surprise des moutons, le berger Giono se révèle loup, non sans provocation. Et son paysage intérieur se métamorphose : la montagne s'y métaphorise en mer océane. «Le col de Menet, on le passe dans un tunnel qui est à peu près aussi carrossable qu'une vieille galerie de mine abandonnée et le versant du Diois sur lequel on débouche alors, c'est un chaos de vagues monstrueuses bleu baleine, de giclements noirs qui font fuser des sapins à des, je ne sais pas moi, là-haut, des glacis de roches d'un mauvais rose ou de ce gris sournois des gros mollusques, enfin, en terre, l'entrechoquement de ces immenses trappes d'eau sombres qui s'ouvrent sur huit mille mètres de fond dans le barattement des cyclones. »[52]

Ainsi la description de cet océan melvillien ouvre dionysiaquement le récit d'*Un roi sans divertissement*, l'histoire d'un homme ennuyé qui pratique l'assassinat comme l'un des beaux-arts. Désormais le pseudo-poète et paysan s'affirme et s'affiche assassin-artiste. Et il redistribue en conséquence les abîmes de son paysage intérieur. Face à la montagne toujours présente, mais devenue le haut-lieu du sacrifice et du crime, il creuse des villes-gouffres, des villes de rêve.

Marseille et Toulon

Marseille «ville de rêve», il fallait y penser ! Giono l'a dit : «Pour les gens de Manosque, Marseille est une sorte de Moscou. Je veux dire une ville de rêve. (...) Il y a chaque soir, au-dessus de chaque lit, dès que la lampe est éteinte, une sorte de brouillard dans lequel apparaît une ville d'or semblable à une couronne de roi, semblable à une vaste couronne d'élu : c'est Marseille. »[53] Il ironise à peine car il va transformer, lui, Marseille en quelque fabuleuse ville d'Ys engloutie. Il voit Marseille sous les eaux : «Il n'est certes pas extraordinaire de rencontrer la mer à Marseille, mais ça l'est tout de même assez de la trouver en pleine rue de Rome ; exactement en face du kiosque à journaux qui est en bordure des petits jardins sinistres de la préfecture ; cinquante pas plus haut que le monument dédié (je crois) à la mort du roi de Serbie. Et la mer était là, non pas comme elle est sur cette plage, ou dans un port, mais c'était le large avec son bleu intense, et ses beaux glacis d'eau pure, et son bruit par temps calme qui est un énorme *do* étiré inlassablement sur une immense corde de contrebasse. »[54]

Giono, cependant, rêve Marseille à travers une vision extrêmement complexe, lointaine et profonde, comme dans une longue-vue dont il nous faudrait d'abord déboîter les différentes pièces optiques afin d'ajuster le regard. Dans *Noé* Giono vise Marseille du haut d'un olivier planté sur le Mont d'Or et dans lequel il fait les olivades. Notons bien que ce montagnard songe alors à fuir vers Marseille pour échapper aux personnages monstrueux dont il a peuplé *Un roi sans divertissement*... et les montagnes des Hautes-Alpes.

Mais s'il vise (ou croit viser) Marseille à partir de Manosque, il s'aperçoit bientôt qu'il est *embarqué* déjà sur la nef d'Ulysse et le vaisseau du capitaine Achab, bref embarqué pour une descente aux Enfers et pour la pêche à la baleine blanche. Sa longue vue d'ailleurs est un *porche*, mais un porche double au travers duquel il découvre d'abord... Toulon.

Toulon

Ainsi de Manosque à Marseille le coup d'œil — coup de sonde — passe par Aix et Toulon. Le porche double, en effet, se compose par superposition du portail de l'archevêché d'Aix-en-Provence et de la porte monumentale de l'Arsenal à Toulon : le premier amalgame d'ailleurs les cariatides du rectorat sur le cours Mirabeau (hôtel d'Espagnet) et «un chapeau de cardinal avec la longue résille pendante» ; le second, «blason guerrier», mêle à des divinités marines «une sorte de foudre faite avec des baïonnettes étalées en palme»[55].

De toute façon, le narrateur de *Noé* saisi d'une «impression de porche» pénètre dans un Toulon fin de siècle à l'époque où l'escadre russe y était venue célébrer la bonne entente de la République et du tzar. Giono situe seulement vers 1902-1903, c'est-à-dire à l'époque où son père lui en racontait l'histoire, cette visite de l'amiral Avellane et de son cuirassé *Empereur Nicolas-Ier*, qui eut lieu en 1893.

C'est d'ailleurs son père qu'il rencontre dans les rues de Toulon, sous les traits d'un cireur de bottes anarchiste, admirateur de Milord l'Arsouille «qui se fout de tout», et se moquant de la République, des *choknosoff* (Russes) et de leur fête politico-commerciale : il a trouvé mieux, une fête intérieure à coup d'absinthes et d'orgueil démesuré. Les feux d'artifice que le gouvernement tire dans les bals de Toulon à

Aix, les cariatides de l'hôtel d'Espagnet.

« A travers les rameaux de l'olivier que le vent charrue, et dans les irisations des feuilles charruées, je vois onduler des formes, comme à travers le halo visqueux des flammes ou la transparence huileuse des eaux profondes. Une de ces formes qui, à l'instant même, était un nœud d'écorce, prend les biceps et le torse d'une de ces cariatides qu'on voit à Aix sur le côté droit du cours Mirabeau (en montant) et qui soutiennent, je crois, un balcon au-dessus de la porte d'entrée d'un vieil hôtel dont je n'ai jamais su le nom. Il y en a, je crois, de semblables un peu plus bas, du même côté, à l'entrée des bureaux d'une banque. » (Noé, III, p. 653.)

716 — TOULON — Carré du Port.
et les Cariatides de Puget.

Toulon, façade de l'ancien hôtel de ville et cariatides de Puget, sur le quai Cronstadt, en souvenir de l'alliance franco-russe.

« C'est à celles d'Aix que j'ai pensé tout d'abord, mais ce ne sont pas celles d'Aix. Elles ont quelque chose de marin, de maritime. Serait-ce même d'avoir pensé à Ulysse, il me semble que, tout en étant des hommes, parfaitement musclés d'ailleurs, et tout en n'étant pas Neptune, elles ont le bas du corps écailleux et terminé en queue de poisson. Je dirai même qu'elles ne supportent pas un balcon, mais simplement un fronton... » (Noé, III, p. 654.)

Porte de l'Arsenal Maritime.

Toulon, le porche de l'Arsenal.
« *Alors, brusquement une autre chose s'éclaire, pendant que se remet en place (…) le porche aux dieux marins et au blason guerrier. Je vois très bien ce que c'est, ce porche aux dieux marins et au blason guerrier : c'est le porche de l'Arsenal de Toulon.* »

Aix, le portail de l'archevêché.
« *Chose curieuse, à l'instant même où je vois clairement les deux cariatides qui sont, sans être Neptune lui-même, incontestablement des dieux marins; où je vois le fronton orné d'armes, où il me semble que je vais savoir ce que tout cela signifie, j'aperçois sur ma main qui écarte un rameau, et par conséquent à côté du blason guerrier, un chapeau de cardinal avec la longue résille pendante, manifestement sculpté à côté du blason guerrier.* » (Noé, III, p. 654.)

« *Le cireur de bottes appelle les Saint-Pétersbourgeois des* choknosoff. *Il dit :* ''*C'est pas des hommes !*'' *Ils ont pourtant tous au moins un mètre quatre-vingt-dix-huit à deux mètres de haut et des épaules en rapport. On les a choisis pour impressionner; et ils impressionnent.* » (Noé, III, p. 657.)

« *Mon père m'a souvent parlé (quand j'avais sept à huit ans — et ça, c'est bien 1902-1903) de l'amiral Avellan. Ce nom d'amande lui plaisait : il y a en Provence une amande fine à coque tendre qui s'appelle avelane.* » (Noé, III, p. 656.)
N.B. — *L'avelane serait plutôt une noisette.*

371. — Marine Militaire Française. — "Formidable", Cuirassé d'Escadre.

Collection A. Couturier.

« Ce soir, l'escadre russe donne des bals
sur les bateaux, et l'on entend venir de
la mer des flonflons de trombones et le
cri rauque des maîtres à nager qui exci-
tent à la nage des embarcations empor-
tant les dames vers les bateaux cuiras-
sés. (...) Et les femmes de Toulon (en
satin ou en pilou, ce sont toujours des
femmes de Toulon) donneront un petit
quelque chose aux doigts cosaques. Du
moment qu'on ne résiste pas de la
bourse, pourquoi résisterait-on du
reste? Il n'y a rien de plus prodigue
qu'un bal, un lampion de papier, les
pétarades du feu d'artifice, le rire enfin
sonore des marins. » (Noé, III, p.
662.)

25 Toulon - Perspective du Port

Edit. Chanteperdrix

34. TOULON - Carré du Port

Édition EYRENSE, Toulon-Mourillon

Clavel, édit., Toulon

TOULON — 9 — La Place du Marché

*« Mais l'autre, avec ses trois absinthes
et ses trois petits pains d'un sou dans le
coco, déambule dans les rues nocturnes
de Toulon, de plus en plus nocturnes et
de plus en plus solitaires à mesure
qu'elles s'éloignent de la fête marine. »*
(Noé, III, p. 662.)

des fins économico-politiques intéressées, il se les tire lui dans la tête. C'est un *avare* — traduction gionienne du *«généreux»* —, un avare de grande race et qui a trouvé l'art de jouir de soi et de ne considérer que soi. C'est donc aussi un anarchiste et qui se fout de tout, «... dont les emplois se bornent à mettre la marque de la foutrerie sur des objets reconnus jusqu'à présent d'utilité publique : les choux-genoux-cailloux-poux de l'amour, de la morale, de la justice, de la respectabilité, des droits de l'homme et du citoyen conscient et organisé en étables de vaches à lait pour les pères, les mères, frères, sœurs, épouses, fils, filles, amis, ennemis, généraux, amiraux, caporaux et soldats. »[56]

Ce «type»-là est cent fois plus provençal-gionien que tous les paysans et bergers des hautes-terres, tels du moins qu'on se les imagine *bucoliquement*; car eux aussi, à leur manière plus austère et moins spectaculaire, se foutent de tout, sauf d'eux-mêmes.

Anarchiste dévastateur, le cireur de bottes déambule, de fait, en ces mêmes «rues nocturnes de Toulon, de plus en plus nocturnes et de plus en plus solitaires à mesure qu'elles s'éloignent de la fête marine »[57], par «la traverse Lirette, la traverse Cathédrale et la traverse Comédie et par des rues et d'autres traverses que je vois s'ouvrir dans le feuillage de l'olivier, et qui n'ont peut-être jamais existé à Toulon...» — ces mêmes rues que le médecin de marine (buveur d'absinthe lui aussi) arpente, dans *Le Hussard sur le toit*, pour aller déclarer à l'amirauté l'épidémie de choléra.

Car Toulon, pour Giono, c'est surtout la ville du choléra : «Orage bleu baleine dans le cul de sac du golfe du Bengale. Miasmes délétères à bord de la *Melpomène*» (muse de la Tragédie)[58]. Où nous remarquerons que l'épidémie éclate dans le port de Toulon en «orage bleu-baleine», comme les montagnes du col de Menet. Le choléra représente, en effet, pour Giono «une maladie de grands fonds»[59], une affection de nos abîmes intérieurs, de ce qu'il appelle encore nos «fonds de caves»[60]. Et de ses propres fonds de caves, il s'enivre, comme l'avare cireur de bottes (ou le médecin de marine) d'absinthe. L'avare se saoule de soi-même. Seulement il y a les amateurs, qui prennent une petite cuite de temps en temps, comme on fait une maladie (et même ils n'en font pas une grosse maladie); et puis il y a les professionnels chez qui l'ivresse de soi prend des proportions *épidémiques et apocalyptiques* : ils se font tout sauter pour le seul plaisir de se révéler à eux-mêmes et de se voir en beauté. Morts, mais en beauté. Ce sont des artistes. Ils se *noircissent* de vin, de volupté, de choléra, de mort, pour y voir clair.

Et le choléra surgi des profondeurs de leur golfe du Bengale, via Toulon et les feux d'artifices franco-russes, se répand sur toute la Provence intérieure de Giono; jusque vers les sommets où d'autres artistes commettent, dans la neige, des crimes encore plus noirs en propageant sur les hauteurs une épidémie de meurtres. A Corbières, c'était, dans

70

Jean le Bleu, une vague de suicides. Décidément la Provence de Giono ne respire pas la santé ! Ni le «bon air».

Marseille

Nous rejoignons ainsi Marseille par des chemins divers et convergents. Par *Noé*, d'abord, puisque le porche d'Aix-Toulon débouche en fait sur la rue de Rome engloutie sous les eaux. Par tout le cycle du *Hussard* ensuite : ville capitale et abyssale, Marseille fait le pendant des hauteurs vers lesquelles chevauchent Angelo et Pauline en direction de Théus, la Divine. C'est à Marseille que Pauline vient mourir dans *Mort d'un personnage* et que Giono prétend avoir rencontré, pour la première fois, sur le boulevard Baille, son héros Angelo comme «*un épi d'or sur un cheval noir*» ; et, ajoute-t-il, «c'est peut-être même la seule chose vraie de tout Marseille ce soir»[61].

C'est à Marseille enfin que le pacifiste Jean Giono a été incarcéré au fort Saint-Nicolas du 16 septembre à la mi-novembre 1939 pour refus de guerre : «Il y a bien toujours quelques mâts (il y a très peu de mâts dans le port de Marseille) mais il y a surtout, haut sur l'horizon et murant entièrement tout le fond de la Canebière, le magnifique corps en forme de couronne du fort Saint-Nicolas. Le grand mur du fort qui me fait face se termine vers la gauche par une belle arête de proue. C'est exactement dans cette proue que j'avais ma cellule en 1939. J'ai passé dans cette prison quelques-unes des plus belles heures de ma vie.»[62].

Position centrale et dominante, ce fort-vaisseau procure à Giono à la fois le «studio idéal» et l'observatoire rêvé pour sonder les abîmes de *son* Marseille : «Mon livre de prison c'est : *Pour saluer Melville*.»[63] La baleine blanche du capitaine Achab, avec Giono, vient hanter le Vieux-Port, plus finement que la trop fameuse sardine. Quant au studio idéal, Giono se le représente encastré dans les murailles du fort, sous les apparences du *studiolo* de Saint-Jérôme peint par Antonello da Messina[64] ; mais, en même temps, comme le cabinet d'affaires du Saint-Jérôme de Buis-les-Baronnies : «Je pense au *Saint-Jérôme* d'Antonello. J'ai reçu une reproduction sur carte postale du *Saint-Jérôme* d'Antonello en 1939, au fort Saint-Nicolas pendant que j'y étais en prison. La carte postale venait de Hollande et mon correspondant inconnu me disait : *Isn't this an ideal studio ?* — Est-ce que ça n'est pas un studio idéal ?»

Le voilà donc, l'autre haut-lieu réel de la Provence gionienne ! Le Contadour en était le haut-lieu communautaire, la cellule du fort Saint-Nicolas en figure plutôt l'ermitage, la solitude, *le désert*. Je soupçonne Giono d'y avoir quelque peu remanié son for intérieur en tour Farnèse, façon *chartreuse*, pour y rencontrer sa propre Clelia Conti : Adelina

18002 - LONDRA - Antonello da Messina - S. Girolamo - National Gallery - Rip. Int. - Anderson Roma

An ideal studio (un cabinet idéal).
Marseille, entrée du Vieux-Port.
Le bateau laisse à sa droite le fort Saint-Nicolas...

Marseille : le fort Saint-Jean, en face du fort Saint-Nicolas.
C'eût été sans doute demander trop d'esprit d'à-propos ou de sens de l'humour à l'autorité militaire que d'incarcérer Giono dans ce fort Saint-Jean : mais à l'impossible nul n'est tenu.

Antonello da Messina : *Saint-Jérôme.*
« ... une de ces magnifiques et extraordinaires cellules de moines du Moyen Age, immenses, dans lesquelles il y a tout le couvent, ses bibliothèques, ses chapelles, ses couloirs, ses carrelages de mosaïques, ses animaux familiers depuis le paon jusqu'au rat, les écuelles de faïence et, par la fenêtre du fond (grande dans le tableau comme l'ongle), tout un envol dans un paysage italien. » (Noé, III, p. 686.)

3 — LE BUIS (Drôme) - Vue générale

BUIS-LES-BARONNIES (Drôme). — La Porte Antique

Buis-les-Baronnies.
Buis-les-Baronnies, résidence du Saint-Jérôme de Buis, homme d'affaires, stratège en chambre, fin connaisseur du cœur humain, artiste souverain.

« Mais mon empereur dynastique de la haute vallée de l'Ouvèze, où en est-il maintenant ? Je vois, par exemple, pas très loin de chez lui (…) un bourg, un gros village, un chef-lieu de canton. Il doit bien y en avoir un, en réalité ? Qu'est-ce que c'est ? Je ne sais pas. Mais admettons que ce soit, disons Buis-les-Baronnies. C'est un joli nom, et c'est vraiment dans les alentours de cette haute vallée de l'Ouvèze. (…) Je peux donc mélanger à ce gros village tout ce que je connais des vieux villages des collines, des vieilles capitales délabrées du roi René. Je peux m'en faire une ville à moi et l'inventer comme je veux. Je ne suis gêné par aucune réalité. » (Noé, III, p. 683.)

Ici habiterait le Saint-Jérôme du Buis.

« Dans une de ces rues, très solitaire (elles le sont toutes, mais celle-là l'est plus que toutes : de tout l'hiver elle ne dégèle pas), entre deux belles maisons pourries décorées d'arcs, de fenêtres à meneaux et de linteaux historiés s'ouvre une porte qui donne sur un couloir au fond duquel on arrive dans une petite cour de trois mètres carrés verte de mousse. » (Noé, III, p. 686.)

Le studio réel.
« Je prends en ce moment un grand plaisir à l'aventure de la phrase... »
(Noé, III, p. 684.)

64 — **Marseille.** - Boulevard National.

Marseille — Cours Belsunce.

Les rues de Marseille où déambule GioNoé.

« Les fouets claquaient ; les roues ferrées sautaient sur les pavés ; les colliers des chevaux sonnaient ; les trotteurs battaient du fer ; les bottines frappaient du talon sur les trottoirs ; les conversations murmuraient ; parfois des cris, ou des sifflets, ou des clameurs, en haut, en bas de la rue, vers les carrefours qui grésillaient comme de la friture, et le "hue ho" du cocher de l'omnibus qui (...) retenait ses chevaux à pleins bras. » (Mort d'un personnage, *IV, p. 150.*)

57   MARSEILLE. — Le Boulevard Dugommier. — LL.

Le boulevard Dugommier.
« *Le tramway 54 arrivait nonchalamment du fond du boulevard (...) D'ordinaire il fait un grand bruit de ferraille ; cette fois il arrivait, se dandinant silencieusement comme un voilier. Il s'était établi un grand silence, tel qu'on entendait se mouvoir le feuillage des platanes.* » (Noé, III, p. 713.)

Place de la Bourse.
« *Cette place était le rendez-vous d'une société très mêlée et extrêmement hétéroclite. Nous allions pas à pas, à travers des marins, des Arabes, des débardeurs, des cavaliers, des dames, des ménagères, des ouvriers.* » (Mort d'un personnage, *IV, p. 158.*)
« *... nous faisons lentement le tour de la place de la Bourse et nous arrêtons pile au terminus du 54.* » (Noé, III, p. 820.)

Un «domaine».
«*La forêt de Brocéliande était de nouveau descendue se planter sur la terre.
M. Roche pensa à Mme de Saint-
Julien. Cette jeune femme était seule
dans sa prison d'ormeaux et de cor-
beaux. (...) Et maintenant novembre
ne tarderait pas à être là. Et qu'est-ce
qu'elle allait faire? Quand le vent de
novembre fait jaillir le ressac des feuilles sèches contre les balustres de la terrasse; et qu'à travers le grillage flot-
tant des grands arbres nus s'élargit, de
jour en jour plus vaste, plus sèche, plus
dure, l'étendue du plateau sur lequel
galope le froid enveloppé de nuages de
poussière, quand, toutes les nuits, les
forêts viennent hurler à la fente des portes.*» (Promenade de la Mort, *III,
p. 296.*)

White, « fille du fort Saint-Nicolas. Et de ses œuvres »[65], des œuvres aussi de Jean Giono et d'Herman Melville. Car elle est bel et bien le *monstre* (« monstre de passion ») de Marseille qu'elle transfigure à sa façon, tout en y préfigurant Pauline de Théus. Mais elle est « vert et rouge » comme l'atmosphère du fort Saint-Nicolas[66], et non pas blanche.

Quant au saint Jérôme de Buis-les-Baronnies, c'est un Machiavel des hauteurs qui joue, au fond de son cabinet solitaire, et grâce à une stratégie de cadastre et de papier timbré, à détruire l'empire du « dynaste de l'Ouvèze », le Charlemagne de Buis, qui, lui, est possédé par la passion de *ramasser* autour de lui un domaine pour y fonder une dynastie[67]. Car la même partie, au fond, se joue à Marseille et à Buis-les-Baronnies, à Toulon comme à Manosque, en mer comme à la montagne, etc. C'est une partie *artistement jouée* de « qui perd gagne » : par personnages interposés, l'*avare* Giono joue à détruire ce qu'il amasse, à consumer son propre fonds de passion en poésie sublime, à se suicider en beauté ; pour l'amour de l'art.

Provence des domaines

Que devient Marseille (ou la vallée de l'Ouvèze) dans cette tragique affaire ? Nous n'en finirions plus de suivre Giono à la trace dans les rues *réelles* de Marseille. M. Robert Ricatte l'a fort bien fait dans ses *Notice, Notes* et *Cartes* pour le texte de *Noé*[68]. Mais, à la réflexion, Marseille devient pour Giono une ville dont il fait ce qu'il veut (et n'importe quoi), essentiellement une ville de *domaines*, autrement dit de *seigneuries*. Outre sa « tour d'ivoire » du fort Saint-Nicolas, et le tramway n° 54 dont il se sert, à la manière du capitaine Nemo, comme d'un sous-marin pour traverser les profondeurs de la ville : « mon tramway qui me donne ainsi une petite cellule monacale en pleine rue »[69], Giono y réside à la Thébaïde, fréquente aussi « le duché » d'Empereur Jules, le dynaste des Trois-Lucs et, bien sûr, « le domaine Flotte : le père de tous les domaines que j'ai décrits jusqu'ici. C'est dans le serpentement de ses allées désertes à travers les cascades et les bassins plats en forme de cœur que j'ai rencontré *le romantisme des temps disparus* »[70]. C'est une qualité d'âme aujourd'hui bien difficile à respirer au sommet de la colline Périer, avenue Ferdinand-Flotte. Et, bien entendu, sur la Canebière de Vincent Scotto.

Que s'est-il passé ? Car ce n'est pas seulement Marseille mais toute l'œuvre de Giono qui est remplie de *domaines*. Il faudrait y ajouter bien sûr le château de La Valette, près d'Aix — et qui est probablement celui de Vauvenargues[71] —, château de Pauline de Théus où Angélo découvre l'amour, dans *Angelo*, et Pauline le choléra, dans *Le Hussard* ; le château de Théus où Céline aime passionnément le fantôme de Diablon, son mari infidèle et défunt, avant de ne plus vivre que pour soi-même[72]; et encore *Le Moulin de Pologne*; le château de Mme Tim, Saint-Baudille, dans *Un roi sans divertissement*, et celui de M. le Comte et de M. le Marquis, citadelle en ruines, dans *Promenade de la mort*, etc., jusqu'au château de Quelte (quête de quel Graal?) où Tringlot «évadé» de Toulon pour d'autres raisons que Jean Valjean — Giono a connu *Les Misérables* avant de savoir lire; son père les lui racontait — rejoint Casagrande qui collectionne, dans son château alpestre, des squelettes d'oiseaux : belle occasion pour Giono *d'inventer le zéro*[73], c'est-à-dire le multiplicateur absolu jusqu'à l'infini, la mort qui multiplie infiniment les jouissances de la vie!

Que s'est-il donc passé? La Provence des espaces déserts où l'imagination de Giono se déploie comme à la parade en quête d'un introuvable objet — qu'il serait bien désolé de trouver; car il s'intéresse, lui aussi, à la quête, pas à la chasse — a toujours eu un centre casanier : au début c'était la maison du *pauvre* cordonnier de Manosque (ou plutôt du cordonnier *pauvre* comme Job est roi; Giono répugne à la pitié) ou des *fermes* plantées sur les plateaux comme des donjons; c'est désormais un *domaine* seigneurial de fort grande maison : Casagrande.

Toujours casanière, l'imagination gionienne aristocratise ses nids d'aigle. Mais ces aires nouvelles restent ce qu'elles ont toujours été : des arches de Noé toujours menacées de finir en vaisseau fantôme, si l'artiste n'y ressuscitait le monde entier «en son cœur»[74].

Décrire un *domaine* gionien, en effet, c'est pénétrer dans le jardin secret de ce moderne Noé qui (re)fait de la Provence son arche; car ce jardin, suspendu comme ceux de Sémiramis, flotte sur l'abîme des eaux, un abîme qui aurait tout englouti, même le mont Ararat. Navigation sans espérance, mais enchantée ô combien! «Bonheur taciturne et toujours menacé» (Vigny, *La Maison du berger*), le «bonheur fou» de Jean Giono dépasse «l'amour fou», qu'il intègre, vers la folie du bonheur. Car il faut être fou pour s'enchanter exclusivement d'une imagination dévorante qui court-circuite «à la folie» et «pas du tout» dans un jeu vertigineusement mortel. Une telle fascination du néant ne prédispose guère, en effet, à l'effeuillage de la marguerite.

Nous savions déjà que ce domaine abrite une femme de qualité parmi les arbres, et les eaux, comme une fée Viviane au cœur de Brocéliande; apprenons désormais avec Giono à le jouer contre le destin et, bien sûr, à le perdre, pour autant que «les vrais paradis sont les paradis que l'on a perdus».

Le domaine devient alors l'enjeu d'un duel où Giono joue un double jeu : avare il amasse, prodigue il dilapide; mais il tient les deux rôles à la fois, qu'il s'agisse, en effet, de la lutte *à mort* de Saint-Jérôme du Buis contre le dynaste de l'Ouvèze, de la famille Coste[75] ou d'Empereur

Jules contre le destin[76], de Thérèse contre Mme Numance[77] ou de l'artiste des *Grands Chemins* contre les paysans du haut pays, de Langlois contre M.V.[78] ou de Martial contre Laurent de Théus[79], Giono se livre à lui-même un combat *singulier*. Il nous raconte indéfiniment l'histoire même de son œuvre, l'histoire du récit dans lequel il invente à plaisir des histoires : il amasse des mots pour les *flamber* au jeu de l'écriture, car il écrit, somme toute, comme d'autres se détruisent : c'est le jeu tragique par excellence. Et comme la Provence, sa Provence, est son œuvre, c'est elle qu'il ravage le plus allègrement : il en fait, à la manière d'Antonin Artaud (voir dans *Le Théâtre et son double*, Gallimard, «Idées», Paris, 1971, le texte «Le théâtre et la peste» et lire ensuite le début du *Hussard sur le toit*, chap. 1) *le théâtre de la peste*, avec la même passion de la cruauté, mais avec une sorte d'humour chauffé à blanc. Comme le soleil noir de sa Provence intérieure.

Aix-en-Provence

«Aix qui est bleue»... (*Noé*, p. 666).

1. *Noé*, O.R.C., t. III, pp. 653-655, pour le porche, pp. 706-709 pour la gare et le chemin de fer.

2. *Angelo*, O.R.C., t. IV, pp. 64-93, pour le séjour d'Angélo à Aix.

Toulon

1. *Noé*, O.R.C., t. III, pp. 653-668.

2. *Le Hussard sur le toit*, O.R.C., t. IV, pp. 257-264.

Marseille (et le cycle du «Hussard»)

1. *Noé* ou «Le voyage à Marseille», O.R.C., t. III, pp. 672-682 et 703-832 ; mais dans le voyage à Marseille est intercalé un séjour dans la haute vallée de l'Ouvèze (pp. 682-703) vers Buis-les-Baronnies. Giono, en effet, pensait comme suite à *Un roi sans divertissement* un récit, intitulé *Voyage à pied*, qui nous aurait promenés à travers le Vaucluse et la Drôme par «Carpentras, Nyons, Dieulefit, etc. Vaison, le pays que j'aime» (cité dans la notice de *Noé*, par Robert Ricatte, O.R.C., t. III, p. 1397).

2. *Mort d'un personnage*, O.R.C., t. IV. C'est à Marseille que vient mourir Pauline de Théus ; Marseille où son fils Angelo II, M. Pardi, se ruine pour procurer de la musique et de la beauté aux aveugles de l'institution qu'il dirige.

3. A compléter avec *Description de Marseille le 16 octobre 1939*, dans *L'Eau vive*, O.R.C., t. III, pp. 388-402.

Provence du blé, Provence des mystères

Dans les romans de Giono, comme dans le *Panégyrique d'Athènes* d'Isocrate, le double don des dieux aux hommes de la Méditerranée — Ligures, Grecs, Latins, Arabes, et les Provençaux sont un peu tous ceux-là ensemble —, c'est le blé avec les *mystères*, cadeau de la déesse-mère, Démèter : «(...) le blé qui nous empêche de vivre comme des bêtes, et les mystères qui donnent aux initiés, sur la mort et l'éternité, les plus douces espérances» (Isocrate, *Panégyrique*, 28).
Cette double intuition n'en fait qu'une, étant le double présent d'une culture unique, de la terre et de l'esprit. Certes «l'homme ne vit pas seulement de pain», mais il lui faut d'abord manger humainement afin de faire face ensuite humainement à l'inhumain. Ainsi la première initiation, dans Giono, se fait par la possession des «vraies richesses», celles qui se mangent par tous les sens et que signifie pleinement

l'or des blés, tout aussi somptueusement pauvre et nourrissant que l'huile d'or. L'épopée — «l'Iliade rousse» — de la femme du boulanger, l'Hélène de Corbières, raconte la lutte de tout un village pour retrouver le goût du pain, que trop de sauvagerie risque de faire passer. *Regain* ne prêche pas un quelconque «retour à la terre» comme démission politique — langage de tous les régimes réactionnaires, langage mal digéré d'une technocratie condescendante —, non, *Regain* redit simplement l'épopée primitive de l'homme en quête de son humanité, au sortir des forêts et des cavernes (et qui nous *parle* encore à l'entrée des usines-casernes). Panturle, l'homme des bois, le chasseur, devient un homme en cultivant le blé : inversement, M. V. redevient un «monstre» (et pourtant il n'est «qu'un homme comme les autres», mais ennuyé de modernité) en chassant l'homme dans les bois. Le premier cultive le blé, le second ses propres vertiges : les *mystères* plus inquiétants de ses intimes forêts. Les deux ensemble constituent un homme gionien complet, accédant à la double initiation complémentaire de la culture et de l'*apocalypse*.
L'apocalypse gionienne (voir *Le Grand Théâtre*) n'a rien de religieux ; elle est strictement specta-

culaire : c'est *le grand théâtre*. L'initié, qui a perdu le goût du pain quotidien, n'y cherche pas tellement, «sur la mort et l'éternité», de «douces espérances» qu'un beau spectacle des signes avant-coureurs de la mort dans toute chair humaine : théâtre de la cruauté, *donc* de la beauté ; où la tragédie d'exister se transmue en beauté du *devenir* mortel. «Toute l'Apocalypse suppose l'homme témoin de spectacles qui le tuent», dit-il dans *Le Grand Théâtre*.[131] Or, s'ils le tuent, à quoi sert le spectacle ? A rien, heureusement ! Mais c'est beau de se voir mourir. Cependant, l'homme qui cultive le blé, qui fuit la civilisation, passe sa vie à «fermer les yeux» sur cette révélation, ce dévoilement de l'abîme qui est en lui barbarie et mort. Il existe pourtant des heures privilégiées, l'heure précédant la mort, en particulier, et qui chez l'artiste cultivant ses vertiges peut durer toute la vie, où cet être qui s'aveugle volontairement «va être obligé d'assister sans mourir au spectacle du grand théâtre et d'en entendre toutes les voix».[132]
Doublement initié à la sagesse de la culture et à la démesure de sa folie, l'artiste cultive sa vie durant ce vertige de mort et de barbarie sans lequel toute culture se défait en «édification».

DE LA PROVENCE RAMASSÉE
A LA PROVENCE ÉCLATÉE

Quand on attrape la peste, le choléra ou n'importe quelle autre maladie *mentale*, on peut essayer d'en guérir ou s'efforcer d'en mourir. Giono «s'est bouté le feu à lui-même, il pète littéralement dans sa peau», il «crève d'orgueil» — ou d'*avarice*, c'est tout comme — parce «qu'il *suit son idée*» : une certaine idée qu'il réalise de lui-même en s'écrivant. Cette passionnante théorie du choléra comme littérature, il l'expose au chapitre 13 du *Hussard sur le toit*. Écrire est un acte de consumation : une fois qu'il a commencé, l'écrivain doit flamber jusqu'au bout; «mais on ne peut pas n'allumer que la moitié d'un *soleil* quand le feu est aux poudres»[80]. Le vrai, l'unique soleil de la Provence gionienne est un soleil de feu d'artifice; et l'artificier se fait lui-même soleil. Pour se dilapider.

Giono a d'abord tenté de se guérir, par l'imagination, du mal dont il souffrait : une indigestion chronique de réalisme et de réalité : son Raspail à lui (son père se soignait lui-même d'après Raspail; Giono a reconnu lui-même qu'à ce régime il s'était probablement tué) c'est l'écriture. C'est l'époque où il se *ramasse* sur lui-même et sur sa Provence *natale*, semble-t-il, pour célébrer le *Triomphe de la vie* sous le *Poids du ciel*.

Je cite à dessein ici les deux grands traités proprement idéologiques de Giono, où il a tenté d'exprimer sa philosophie ou, du moins, une sagesse. Elle est, hélas! *conservatrice*. En conservant cette Provence du passé, paysanne et artisane, Giono, comme tous les conservateurs, se conservait d'abord lui-même. Naturellement la foule des lecteurs paresseux a suivi comme les moutons de Panurge ce prétendu pasteur d'hommes qui a probablement commis, à l'époque de *Que ma joie demeure*, sa seule étourderie : il s'est pris au sérieux, il a même envoyé des «Messages»! C'est alors qu'il a célébré le plus lyriquement une Provence sensuelle, austère et artisanale, à parcourir à pied comme Jean-Jacques Rousseau. «Le poète, écrit-il, doit être un professeur d'espérance»[81]. Et ce qu'il fait espérer, c'est une possession *sensuelle* des vraies richesses du monde, celles qui ne coûtent rien et qui restent *naturelles*. Giono enseigne la joie par la pauvreté, une espèce de franciscanisme laïque, épicurien et, par-dessus tout, individualiste : il a retenu la leçon de Gide et des

2683. - CHICHILIANNE (Isère). - Vue générale
et le Mont Aiguille (2097 m)

5562.6 - CHICHILIANNE. - Entrée du village et Hôtel du Nord.

En Trièves, chez «un roi sans divertissement», et au pays des «âmes fortes».

Saint-Maurice-en-Trièves.
«*Bon. Les nuages se sont arrêtés le long de la route qui monte au col. On voyait les érables et la patache de midi et quart pour Saint-Maurice. Il n'y avait pas encore de neige, on se dépêchait à passer le col dans les deux sens.*» (Un roi sans divertissement, III, p. 458.)

Chichilianne.
«*M. V. était de Chichilianne, un pays à vingt et un kilomètres d'ici, en route torse, au fond d'un vallon haut. On n'y va pas, on va ailleurs, on va à Clelles (qui est dans la direction), on va à Mens, on va même loin dans des quantités d'endroits, mais on ne va pas à Chichilianne. On irait, on y ferait quoi? On ferait quoi à Chichilianne? Rien.*» (Un roi sans divertissement, III, p. 456).
«*Au coin de la place de l'église, où d'un côté prend la route de Clelles et de l'autre juste la rue de l'homme, il croise un de ces types. Alors il lui demande : "Dites, cette maison là-bas (ils font quelques pas de côté pour bien la voir), la cinquième, celle qui a deux fenêtres, vous savez qui y reste?" On lui répond : "Oui, oui, c'est M. V."*» (Un roi sans divertissement, III, p. 497.)

Nourritures terrestres.

Mais quand il prétend inscrire dans la réalité cet individualisme allègrement austère, il se trompe d'époque : la communauté artisanale et paysanne dont il fait l'apologie dans *Le Poids du ciel* et *Triomphe de la vie* n'existe plus que dans son imagination. Contre Brueghel et son effarant *Triomphe de la mort* il prétend célébrer le «triomphe de la vie» naturelle (archaïque) en répudiant le monde *mécanique* (moderne). La mécanique (et tout ce qui s'ensuit : technologie, technocratie, centralisation, organisation des masses laborieuses, guerre totale...) pour lui c'est la Mort. Profondément romantique, il plaide pour un retour à *l'organique...* et y retrouve *naturellement* l'autre visage de la mort.

Sommes-nous plus avancés en 1980? Ici le terrain sur lequel il *régresse* est miné de toute part, et c'est bel et bien le triomphe de la mort que Giono *organise* désormais à travers toute son œuvre dévastatrice : il choisit la mort, *sa* mort, contre la mort anonyme et abstraite du monde moderne, la mort banale ; il choisit de faire de *sa* mort une œuvre d'art. Et cela suppose qu'il fasse de sa vie entière un exercice de la mort : l'artisan provençal mythique et idéologique se transmue en artiste universel.

Il ne cherche plus à guérir du choléra-littérature, il vit avec sa maladie (il la fait vivre et il en vit), et c'est la belle vie : les musiciens errants de *Jean le Bleu*, Décidément et Madame-la-Reine, commentaient ainsi, dès 1932, «la petite voix de Bach» : «... Souviens-toi de cette montée de la Toccata, et puis quand tu es en haut tu mets le pied en plein désespoir. — Oui, soupira Madame-la-Reine, le tout est d'être assez fort ensuite pour *faire des sauts périlleux avec sa propre force, sans s'appuyer à rien et sans avoir peur pour sa tête. Tout est là.* »[82] C'est une autre façon de ne pas désespérer quand on a mis «le pied en plein désespoir». Il n'est évidemment plus question alors de *donner des leçons* d'espérance!

Jean Giono *s'éclate* donc, après 1940, avec le cycle du *Hussard* et les autres *Chroniques*, dans une Provence plus vaste qui rayonne au-delà des deux centres antagonistes, Manosque et Marseille :

1. Vers le Dauphiné, jusqu'à Grenoble en suivant la ligne du chemin de fer des Alpes ; mais cette ligne-là court jusqu'au Mexique...

2. Vers l'Italie jusqu'au Risorgimento et au lac de Garde.

3. Autour de Rians et de Saint-Maximin... et, de là, vers l'Écosse.

Il s'éclate surtout en lui-même : il implose.

Le Trièves et le chemin de fer des Alpes

En 1946, durant l'été, Giono retourne dans le Trièves, à Lalley où il n'était plus revenu depuis 1935. Il écrit dans son journal (fin juillet 1946) : «C'est de ce pays, au fond, que j'ai été fait pendant vingt ans.»

Un de Baumugnes, Le Chant du monde, Batailles dans la montagne, Les Vraies Richesses sont des œuvres du Trièves. Ainsi la Provence de Giono était passablement dauphinoise, surtout si l'on y ajoute le Diois et les Baronnies.

Or, en 1946, Giono situe de nouveau dans cette même région le roman inaugural de tout le cycle des *Chroniques*, qui aurait pu s'intituler «Meurtres dans la montagne» : *Un roi sans divertissement*. Chichilianne, Saint-Baudille, Clelles, Mens, Corps, Saint-Maurice-en-Trièves inscrivent sur la carte les lieux *hantés* par M. V., ce paysan perverti dont l'ennui fait un assassin, c'est-à-dire un artiste.

Ce Dauphiné-là se trouve à des années-lumière de la Provence bleue : c'est le pays de l'hiver et de «la nuit des temps». Forêts profondes où l'automne célèbre des sacrifices sanglants, où l'hiver assassine de neige et de monotonie un cœur, somme toute, sensible et qui tue son ennui (avec son cœur) en faisant de la peinture avec du sang. Sur la blancheur uniforme du néant extérieur, ce «monsieur» met sa marque, sa différence : une tache rouge.

Il ne figure pas la bête du Gévaudan ni Dracula; simplement «un homme comme les autres» qui aurait pu finir ses jours dans la peau d'un de ces artisans honnêtes qui sont le plus bel ornement du Trièves dans *Triomphe de la vie*. Mais non! «Il pète (lui aussi) littéralement dans sa peau»[83] car il crève d'orgueil et d'ennui. C'est pareil. En artiste véritable, il ne fait guère qu'imiter la nature, qui est cruelle : «Quand, en retournant, vous arrivez au-dessus du col La Croix, c'est d'abord pour vous trouver en face du premier coucher de soleil de la saison : du bariolage barbare des murs; puis, vous voyez en bas cette conque d'herbe qui n'était que de foin lorsque vous êtes passé, il y a deux ou trois jours, devenue maintenant cratère de bronze autour duquel montent la garde les Indiens, les Aztèques, les pétrisseurs de sang, les batteurs d'or, les mineurs d'ocre, les papes, les cardinaux, les évêques, les chevaliers de la forêt; entremêlant les tiares, les bonnets, les casques, les jupes, les chairs peintes, les pans brodés, les feuillages d'automne, des frênes, des hêtres, des érables, des amélanchiers, des ormes, des rouvres, des bouleaux, des trembles, des sycomores, des mélèzes et des sapins dont le vert noir exalte toutes les autres couleurs. Chaque soir, désormais, les murailles du ciel seront peintes avec ces enduits qui facilitent l'acceptation de la cruauté et délivrent les sacrificateurs de tout remords. L'ouest, badigeonné de pourpre, saigne sur des rochers qui sont incontestablement bien plus beaux sanglants que ce qu'ils étaient d'ordinaire rose satiné ou du bel azur commun dont les peignaient les soirs d'été, à l'heure où Vénus était douce comme un grain d'orge.»[84] Ce texte date de 1946.

Le texte *Automne en Trièves*, dans *L'Eau vive*, écrit en 1932 et qui appartient donc à la période soi-disant bucolique de Giono, décrit le même

86

paysage, mais de façon sensiblement plus morbide. On y respire le dégoût, une certaine *morbidezza* : la cruauté d'*Un roi sans divertissement* est assurément plus tonique !

Car c'est une cruauté belle. M. V. n'est pas un tueur, il est l'acteur « d'un drame très antique » ; il officie dans un sacrifice humain, à la fois victime et bourreau. Il exerce une fonction sacrée dont l'origine se perd dans la nuit des cavernes et des pyramides.

Chez les Aztèques il eût été prêtre, en 1946 il est poète. « Il existe, évidemment, un système de référence comparable, par exemple, à la connaissance économique du monde et dans lequel le sang de Langlois et le sang de Bergues ont la même valeur que le sang de Marie Chazottes, de Ravanel et de Delphin-Jules. Mais il existe, enveloppant le premier, un autre système de référence dans lequel Abraham et Isaac se déplacent logiquement, l'un suivant l'autre, vers les montagnes du pays de Moria ; dans lequel les couteaux d'obsidienne des prêtres de Quetzalcoatl s'enfoncent logiquement dans des cœurs choisis. Nous en sommes avertis par la beauté. On ne peut pas vivre dans un monde où l'on croit que l'élégance exquise du plumage de la pintade est inutile. Ceci est tout à fait à part. J'ai eu envie de le dire, je l'ai dit. »[85]

Et c'est ainsi que les Aztèques, ces Mexicains d'autrefois, font leur entrée dans la Provence de Giono — plus proche en cela de Georges Bataille et d'Artaud que de Bosco ou de Frédéric Mistral. Tout cela aussi, parce que Giono avait, dans son cabinet de travail, pendant qu'il écrivait *Un roi*, une carte des *Indes occidentales* : « A gauche de cette fenêtre, sur le mur blanc, une carte de l'Amérique centrale : *Mexico, Central America and the West Indies (The National Geographic Magazine)*. Elle est là depuis l'époque où je lisais Bernal Diaz del Castillo et Cortez. Beaucoup de bleu. Océan, mer des Caraïbes, Montezuma, les armures de coton, les supplices de l'or, des ruisseaux de sang coulent entre les troncs des vieilles forêts de basalte. »[86] Et voilà pourquoi également Mme Tim, la châtelaine de Saint-Baudille, est mexicaine ; pas tout à fait de la même manière, d'ailleurs, que les « Mexicains » fameux de Barcelonette et des Basses-Alpes.

Quand on a, du reste, bien parcouru ce Trièves blanc et rouge, on s'aperçoit finalement que Giono l'a, comme Manosque, organisé en décor et qu'il est terriblement *abstrait*, comme la peinture sur neige de M. V.

Qui chercherait dans l'œuvre de Giono, la Provence et les Provençaux à la fin du XIXᵉ et au début du XXᵉ siècle, un historien par exemple ou un sociologue, en serait pour ses frais : Giono ne *décrit* pas, et décrit de moins en moins en vieillissant. Il invente des combats spirituels d'artistes dans un décor de tragédie. Langlois, le gendarme, contre M. V., le tueur, c'est encore un combat singulier entre deux « moi » de Giono : celui qui *explore*, expérimente passionnément la voie esthétique

191
LIGNE DE GRENOBLE A GAP. — Le Mont Aiguille et la Chaîne du Grand Veymont

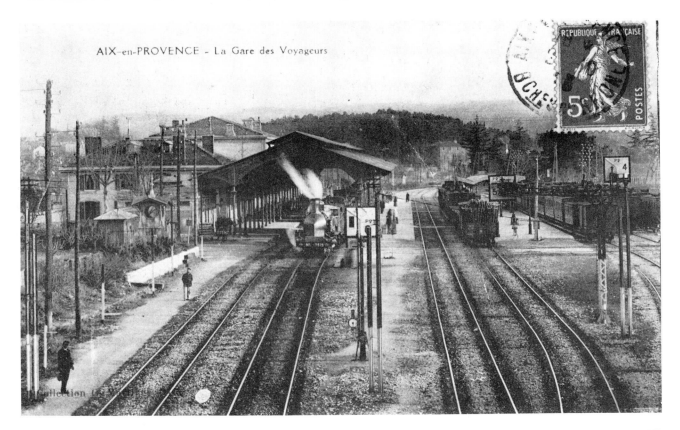

AIX-en-PROVENCE - La Gare des Voyageurs

Tunnel de la ligne de Briançon. — Gorges de la Bessée

La ligne de chemin de fer des Alpes.

« ... c'est un chaos de vagues monstrueuses bleu baleine, de giclements noirs qui font fuser les sapins à des, je ne sais pas moi, là-haut, des glacis de roches d'un mauvais rose ou de ce gris sournois des gros mollusques, enfin, en terre, l'entrechoquement de ces immenses trappes d'eau sombres qui s'ouvrent sur huit mille mètres de fond dans le barattement des cyclones. » (Un roi sans divertissement, III, p. 456.)

La gare d'Aix-en-Provence.

Le chemin de fer des Alpes, c'est la ligne Marseille-Grenoble, ou Marseille-Briançon, mais c'est aussi, et d'abord, Manosque-Marseille par Aix : le voyage de Noé. « Sous le hall de la gare d'Aix on rencontre le grisâtre et le froid. Cet endroit-là du monde n'en est pas encore revenu de voir passer des trains. On y reste un petit moment, dans un silence sépulcral, et on s'en va en catimini, sans siffler, en prenant les aiguillages en douce, comme si on se débinait. La folie du chemin de fer éclate à Aix; la gare même n'y croit pas. » (Noé, III, p. 706.)

« Le train entra dans les montagnes. (...) Le convoi montait lentement le long de gorges étroites. Son serpentement faisait sonner longuement les échos sous lui, au-dessus de lui, le long de lui, dans des ravins, des roches glacées et des forêts de mélèzes. C'était une ligne secondaire, loin des larges alignées parallèles de rails couchés sur les plaines. » (Le Poète de la famille, III, p. 416.)

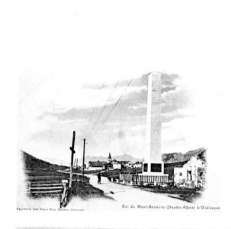

Col du Mont-Genèvre (Hautes Alpes) l'Obélisque

Briançon et ses Forts

Briançon - Le Pont d'Asfeld - Au fond le Col du Mont-Genèvre et le Chaberton (Italie)

Col du Montgenèvre.

« Deux jours après, le douanier français qui, le soir, se dégourdissait les jambes sur la route d'Italie au mont Genèvre vit monter du côté de Cesana un cavalier qui semblait un épi d'or sur un cheval noir. » (Angelo, IV, p. 5.)

« ... avec de larges lacets dignes d'un Montgenèvre. » (Arcadie... Arcadie, p. 185.)

« Je cherche du regard sur les talus de la route que nous gravissons maintenant vers le col ces touffes de gentianes bleues dont les fleurs me donnaient tant de plaisir en 1915. Mais la saison est trop avancée. Déjà les champs du Montgenèvre ont leur poil d'hiver comme les renards. Il fait froid, le suaire des brumes nous mouille les joues et si nous nous obstinons à laisser la voiture découverte, c'est dans l'espoir d'une plongée rapide en Italie de l'autre côté. Il nous faut nous arrêter à la première barrière pour montrer nos pattes blanches. » (Voyage en Italie, p. 17.)

Briançon.

« Angelo était en effet sorti très rapidement des murs de la forteresse. » (Angelo, IV, p. 6.)

« C'est à la caserne du château de Briançon et plus exactement dans l'embrasure de la fenêtre du deuxième étage qui domine le pont d'Asfeld que j'ai pris goût à ne pas posséder, à ne pas avoir, à être privé des choses mêmes essentielles, comme la liberté et même la liberté de vivre (...) C'est ici devant ces paysages austères que date mon besoin de perdre. » (Voyage en Italie, p. 17.)

de la cruauté, et celui qui *enquête* sur cette exploration ; or le premier *trouble* le second jusqu'à lui faire perdre sa lucidité, sa claire intelligence du monde et de soi, jusqu'à lui faire perdre la tête. Tout le reste est anecdotique.

Nous retrouverons ailleurs, sous le nom de Martial, Langlois, ce policier défroqué ; mais demeurons dans le Trièves et plus exactement sur la voie ferrée de Marseille à Grenoble, avec *Les Ames fortes*. Approximativement le cadre reste le même : tout se passe autour du col de Lus-la-Croix-Haute et de Châtillon-en-Diois. Giono, dont la grand-mère paternelle fut aubergiste à Peyrolles et dont la tante Marguerite Fiorio avait passé une partie de sa vie dans les chantiers de construction du chemin de fer — il l'a déjà campée sous le nom de Madame Juliette, dans le *Poète de la famille (L'Eau vive)* —, Giono imagine Thérèse servante d'abord dans une auberge de roulage de Châtillon, puis tenancière d'estaminet sur un chantier de la ligne des Alpes.

Mais, une fois de plus, ce qu'il transpose dans une geste familiale imaginaire et sur une carte géographique de la Provence réelle, c'est une bataille de dames dans la montagne. Et de grandes dames. Maîtresse femme, la paysanne Thérèse affronte passionnément — toute amour et toute haine — Madame Numance, aristocrate somptueusement «avare d'elle-même» ; et elles jouent au plus fin, à qui *possèdera* l'autre, non pour l'avoir ou la gagner mais pour se perdre. Ainsi Langlois et M. V.

Cette partie aurait pu tout aussi bien se jouer en Amérique ou dans la Lune. Elle aurait pu avoir pour arbitre le procureur du roi «amateur d'âmes» et «profond connaisseur des choses humaines»[87], qui habite Grenoble, «Grenoble qui est blême»[88], ville neigeuse et lunaire, où Saucisse l'amie de Langlois a été putain, comme Thérèse à Châtillon. Car Giono sur la fin de sa vie ne décrit plus que des paysages d'âmes, et d'âmes passionnément cruelles.

Le Hussard : vers l'Italie

Le cycle du *Hussard* représente les grandes manœuvres de l'imagination gionienne tout au long de la vallée de la Durance... et du Pô en suivant cette fameuse «route aux peupliers» qui est la voie royale vers l'Italie. Angelo suit d'abord, dans *Angelo*, le chemin que le grand-père Jean-Baptiste Giono, gendarme et «carbonaro», autrement dit gendarme et hors-la-loi, en 1831, emprunta pour s'exiler en France : Jean-Baptiste était brigadier de gendarmerie, Angelo sera promu colonel de hussards, et fils (bâtard) d'une duchesse italienne, comme Fabrice del Dongo. Il a tué à Turin, en duel, un mouchard de la police, d'un coup

EMBRUN. - Vue du Roc

Gap (Vue générale)

Sisteron.

Embrun.

«*Le soir, il traversa tranquillement
Embrun. Il acheta pour trois sous un
demi-pain chaud et un petit fromage
blanc.*» (Angelo, *IV*, *p. 7.*)

«*Le feuillage des peupliers et des trembles est déjà doré par endroit. Ces
arbres très mélancoliques sur le ciel
noir font avec leurs troncs d'albâtre une
escorte royale à l'entrée d'Embrun.*»
(Voyage en Italie, *p. 13.*)

Gap.

«*Le coche sautant sur les pavés de Gap
réveilla Angelo. Le jour se levait. (…)
On sort de Gap par une longue montée,
dans laquelle l'attelage garda le pas.
De chaque côté de la route, des bosquets
de chênes, que leurs petites feuilles ren-
daient vaporeux, tordaient d'éclatants
muscles noirs. Un allègre soleil de mai
s'était levé.*» (Angelo, *IV*, *p. 28.*)

de sabre «qui exige dix ans de pratique et trois cents ans de désinvolture héréditaire»[89].

De cette aristocratique *disinvoltura* et de ce beau «coup de sabre», déduisons plus certainement trente années d'une pratique exemplaire de l'écriture. Giono entre dans son cycle parfaitement *a cavallo*. Par Briançon, Embrun, Gap — entre les deux il rencontre la marquise Céline de Théus, anarchiste de grande race —, Sisteron, Manosque, Peyrolles, Angelo arrive à La Valette, château de la belle-au-bois-dormant : Pauline de Théus.

Dans *Le Hussard sur le toit*, il reprendra la même route à rebours, mais par les chemins de traverse des écoliers, par Banon, Manosque, la montagne de Lure, la vallée du Jabron, Vaumeilh et Théus. Et, dans *Le Bonheur fou*, il fera la guerre du *risorgimento*, de Milan à Brescia et à Custoza, pas en militaire mais en enfant perdu, en franc-tireur solitaire.

Il serait fastidieux de relever les étapes de ce périple sur une carte de géographie : nous savons déjà qu'il s'agit surtout d'un roman familial, d'une épopée romantique et de l'exploration d'un vertige intérieur. Saisissons plutôt comment tous ces cycles *se recoupent* dans une fabuleuse partie de gendarmes et de voleurs, et en particulier autour de Rians, pays natal de Pauline de Theus.

Les récits de la demi-brigade

Nous mesurons ici jusqu'à quels lointains nostalgiques la Provence de Giono devient *fabuleuse* : à partir de 1945 Jean Giono ne raconte plus guère que des histoires de brigands. En Provence, «raconter des histoires de brigands» c'est tout bonnement fabuler, mentir, comme dans les contes de fées.

Historiquement il fait revivre la geste très particulière des «verdets», ces légitimistes qui prirent le maquis, après 1830, contre Louis-Philippe d'Orléans. Et, pour faire bonne mesure, il ajoute à cette épopée miniature une formidable épopée de choléra, celle de 1835, qui ne fut pas si terrible mais à laquelle il donne une ampleur apocalyptique.

A ce propos, comment ne pas remarquer une certaine continuité dans le changement de la politique gionienne? La Provence de Giono c'est, ou c'était, la Provence rouge. Géographiquement (et même idéologiquement), il ignore la vraie Provence blanche de Mistral tout comme la Provence de luxe de la côte d'Azur. Or il a trouvé — parce qu'on ne trouve vraiment (et même réellement) que ce qu'on cherchait — une autre Provence, qui correspondait *en réalité* à *sa* Provence intime, précisément aux confins du haut Var, des Basses-Alpes des Bouches-du-Rhône et du Vaucluse, autour de la forêt de Cadarache ; et celle-là fut tour à tour blanche *et* rouge, rouge *et* blanche, de toute façon *contre*.

Elle a d'abord fait de l'opposition contre la République et surtout à l'empire napoléonien : opposition royaliste. Nous lisons, par exemple, dans l'*Histoire de la Provence* par R. Busquet, V.-L. Bourrilly et M. Agulhon (p. 90) : «En certaines régions, et notamment dans ce cœur forestier de la Provence qui va des Maures et de la Sainte-Baume au Luberon en passant par les plateaux du confluent Durance-Verdon, le mécontentement engendre alors "le brigandage" ; vols sur les routes, mais aussi permanence de plusieurs troupes de hors-la-loi, fortes parfois de vingt à trente hommes, et protégées par un réseau de complicités qui s'étendait de certains hôtels aristocratiques d'Aix et de Marseille jusqu'aux plus humbles cabanes de bergers ou charbonniers de la forêt. De l'an VI à l'an XII cela ne cessa guère. »

On ne saurait mieux définir l'aire historique et géographique dans laquelle Giono situe les *Récits de la demi-brigade*. Car c'est exactement là que s'organise aussi, contre Louis-Philippe cette fois, une opposition légitimiste ; laquelle, très curieusement, associe carlistes et républicains dans une coalition «carlo-républicaine» sur fond de catholicisme populaire. Ces opposants sont «les verdets». Laurent de Théus, mari de Pauline, est leur chef, rebelle aristocrate et royaliste. Et surtout serviteur de son propre honneur.

On n'a pas manqué de gloser sur ces bizarres héros de l'anarchiste Giono qui étaient «blancs». Giono a choisi, remarquons-le bien, de nous conter «la fin des héros», légitimistes certes, mais qui possèdent à ses yeux le mérite essentiel d'être des opposants vaincus. Ce sont des aristocrates, sans doute, mais d'autant plus anarchistes ; et, comme Angelo, ils ne visent pas le pouvoir mais défendent leur honneur et leur liberté.

Bien sûr, les anarchistes de *Jean le Bleu* n'étaient pas blancs, mais rouges. Le père Jean, cordonnier de Manosque, était un anarchiste non-violent qui hébergeait et soustrayait à la police des révolutionnaires traqués ; et il discutait avec eux non de Charles X mais de Blanqui et de Proudhon. Et il y a, peut-être, dans cet épisode de *Jean le Bleu*, un souvenir de la résistance républicaine au coup d'État de Badinguet. Car cette même région des Basses-Alpes, un peu plus au nord seulement, était républicaine et rouge : les Basses-Alpes et le haut Var sont, en effet, les seules régions qui ont tenté une opposition armée contre Napoléon III. Et le 9 décembre 1851 les armées impériales battirent les républicains à Aups et aux Mées.

Continuité dans le changement, disions-nous? Oui, car cette Provence-là, rouge ou blanche, reste, aux yeux de Giono, celle de l'opposition à tout pouvoir central, quel qu'il soit.

Donc, Laurent de Théus, condottiere provençal, mène ces insoumis à l'attaque des messageries royales, mi-grand seigneur, mi-brigand de grands chemins, de toute façon hors-la-loi. Sa femme, Pauline, fille

Portrait de Giono en 1925.
« C'est un homme sans malice et essentiellement préoccupé de ce qui n'est pas
son intérêt personnel. Tout le monde
l'aime. En tout cas personne n'oserait
dire qu'on ne l'aime pas. Mais comme
il soigne gratuitement les gens qui
n'ont pas de ressources, je ne crois pas
qu'on ait beaucoup d'estime pour lui.
Il a de plus les yeux bleus, si clairs
qu'il semble n'y avoir jamais de force
dans son regard, et on peut imaginer
qu'il n'est jamais présent à l'endroit
où il se trouve. » (Angelo, IV, p.
67.)

La Sainte Baume - 481 - Dans la Foret (*Le Canape*)

Amitiés Marie

3260 - La Sainte-Baume - La Fontaine de Nans

Edition Louis Aguel, papeterie

La Verdière (Var) - Vue Générale.   Mourou édit.

Vue « en plan cavalier » sur le territoire des *Récits de la demi-brigade*.

« *De certains endroits bien placés, on domine des territoires plus vastes qu'un canton et couverts de forêts de rouvres. (…) Sur la rive gauche de la Durance, cette forêt mêlée de chênes blancs recouvre les vallons et les collines jusqu'au massif de la Sainte-Baume : c'est-à-dire qu'au-delà est la mer. Il n'est donc pas question d'imaginer des villes, des tramways, des trottoirs où la foule circule, de brillants éclairages enfin ; quoi que ce soit de cette organisation moderne qui suffit à l'âme naïve des citadins pour détruire l'idée de désert. Même Marseille dont on peut deviner l'emplacement grâce au Pilon du Rouet ne compte guère à côté de ces étendues sans âmes qui s'élargissent jusqu'à la mer. Toute cette région est composée comme pour servir de décor à une page de Froissard ou tout au moins de Walter Scott.* » (Arcadie… Arcadie, *p. 183.*)

P. RUAT, édit., M'rseille

1403 - BRIGNOLES - Place Caramy

« Ces attaques de diligences, et notamment celles qui transportent les caisses de votre gouvernement, semblent être une industrie particulière de la région, dit Angelo. » (Le Hussard sur le toit, *IV, p. 597.*)

« Cet endroit est très isolé. Ceux qui ont fait le coup ne peuvent venir que de la montagne de la Sainte-Baume ou des déserts du côté de Rians. » (Les Récits de la demi-brigade, *p. 126.*)

BRIGNOLES - Rue Hôpital Vieux
Édition Perrimond

d'un médecin de Rians, l'a secouru, soigné puis épousé, après l'avoir découvert dans un taillis avec une balle dans la poitrine[90]. Et cette bande aristocratique et réactionnaire écume le pays entre la Sainte-Baume et la vallée du Verdon, autour de Peyrolles, Ginasservis, Rians, Ollières, Saint-Maximim et Brignoles ; les bois de Rians sont leur forêt de Brocéliande. Ils évoquent, d'après *L'Écossais, ou la fin des héros*[91], les landes de Rannoch : « Je suis seul », dit l'Écossais ami de Laurent de Theus et son hôte, et qui se sacrifie pour lui : « Les *moors* de Rannoch sont d'immenses étendues désertes, couvertes de cette bruyère qui produit des paysages noirs. »[92]

Quant au gendarme qui poursuit ces voleurs, il s'appelle Martial et n'est pas moins hors-la-loi que son adversaire Laurent de Théus. S'il la fait respecter, en effet, c'est essentiellement par respect pour soi-même, pour faire le travail pour lequel on le paye. Au demeurant, il a pour l'État louis-philippard, pour la loi en général et surtout pour ceux qui la font afin de s'en servir, le plus total mépris. Il règle les comptes de son honneur, comme Laurent de Théus ; il les règle largement, en « avare », c'est-à-dire en payant de sa personne.

Ce gendarme anarchiste s'appelait ailleurs Langlois et c'est le même type d'homme que l'Écossais, dans le même type d'environnement : « J'étais seul. Le calme absolu qui précède les lourdes chutes de neige m'environnait étroitement. Aussi, lorsque mes yeux pouvaient voir, j'apercevais autour de moi des landes désertes dont l'aspect renouvelé par la neige m'était parfaitement étranger. Les lointains étaient de ce bleu sombre un peu funèbre que prend la mer sur les grands fonds. »[93].

Où il apparaît que les bois de Rians, les landes de Rannoch, la rue de Rome à Marseille (autre Brocéliande) et, bien entendu, les forêts du Trièves où Langlois-Martial traque M. V., dans *Un roi sans divertissement*, ne forment qu'un seul et même paysage d'âme. Ainsi se fixent le héros et le cadre gionien par excellence : un cavalier solitaire parcourant une lande déserte et enneigée (ou blanchie par les feux du soleil) — territoire symbolique d'un bel ennui désespéré —, en quête de quelque chose (ou de quelqu'un) qui fasse la différence, le divertissement, fût-ce au prix d'une tache de sang.

Ajoutons encore que ces mêmes bois de Rians abritent dans *L'Iris de Suse* des bandits plus du tout aristocratiques ni politiques — en souvenir probablement de la fameuse « bande de la Taille » qui écuma la basse vallée de la Durance à l'époque où le père de Giono était facteur à Peyrolles — et le cycle des *Chroniques* se boucle sur le dernier roman de Giono, un roman-somme et testament, sur lequel nous nous arrêterons pour finir... en rebroussant chemin, ensuite, de la Provence noire vers la Provence blanche et *leur essentielle unité*.

98

Sur la Provence «vive» de Giono

1. *L'Eau vive*, O.R.C., t. III, en particulier *L'Eau vive* et *Complément à L'Eau vive,* pp. 81-118.
. *Possession des richesses,* pp. 187-191.
. *Rondeurs des jours,* pp. 191-195.
. *Automne en Trièves,* pp. 195-198.
. *Hiver,*, pp. 198-201.
. *Aux sources mêmes de l'espérance,* pp. 201-205.
. *Provence,* pp. 205-234.
. *Entrée du printemps,* pp. 234-248.
2. *Le Poids du ciel,* Gallimard, «Idées», 1re éd. 1938.

3. *Triomphe de la vie,* Grasset, Paris, 1re éd. 1941.
4. *Arcadie... Arcadie* in *Le Déserteur et autres récits,* Gallimard, «Folio», 1973. Le texte date de 1953.

Giono et l'Italie

1. *Voyage en Italie,* Gallimard, Paris, 1953.
2. *Le Bonheur fou,* in O.R.C., t. IV.
3. *Le Désastre de Pavie,* Gallimard, Paris, 1963.

L'INVENTION DU ZÉRO
ET LA MULTIPLICATION DES SENS

L'invention du zéro

Avec *L'Iris de Suse* publié en 1970, l'année de sa mort, Giono meurt en beauté. Il récapitule toute son œuvre, il achève le mouvement de toute sa vie vers l'essentiel de son œuvre : sa vie entière sublimée en une aventure unique. De Toulon au Trièves.

Récapitulons. Le héros Tringlot, ancien des «bats d'Af» et de Biribi — le grand-père *carbonaro* s'était engagé après 1830 dans la légion étrangère —, ancien brigand de la bande des bois de Rians, «un zèbre, on ne peut pas l'appeler autrement, quitt[e] Toulon de nuit, sans bruit ni trompette»[94]. Traqué par ses anciens complices auxquels il a subtilisé un riche butin en or, il fuit vers la montagne à travers le Haut Var, les Basses puis les Hautes-Alpes sur les grands chemins, à la recherche d'un abri sûr. C'est un errant comme l'Amédée d'*Un de Baumugnes* ou l'artiste et le narrateur de *Grands Chemins*. Il trouve refuge auprès d'un bon berger, Louiset, qui conduit un grand troupeau transhumant vers les alpages du Jocond du côté de Villard, c'est-à-dire dans le Trièves de *Batailles dans la montagne* et d'*Un roi sans divertissement*. Comme dit Louiset, le solitaire : «C'est là-bas que je veux aller ; c'est ce que je préfère. Il y a quatre cabanes, dont une en dur, rends-toi compte. Je domine la situation et on me fout une paix royale.»[95]

Louiset, comme Toussaint dans *Le Chant du monde*, opère ce dernier retour à la montagne pour y mourir et Tringlot pour y survivre : «Mon vice, c'était vivre. Tu n'as pas besoin de t'inquiéter : toi tu fumes, moi je vis et, comme vice, rends-toi compte si c'est coquet !»[96] Dans sa violente protestation anarchiste contre la guerre de 14-18, Giono affirmait déjà dans *Jean le Bleu* : «Il n'y a pas de gloire à être Français. Il n'y a qu'une seule gloire : c'est d'être vivant.»[97]

Les deux ensemble forment un Giono complet, également vicieux de vivre et passionné de mourir.

Dans le voisinage du Jocond, Provence dauphinoise de bergers, se dresse le château de Quelte, peuplé d'aristocrates esthètes tous en quête de la beauté du diable, autrement dit d'une belle mort. Quelte résume le domaine de la Valette et le château, anonyme, essentiel, de *Promenade de*

Toulon, le fort Lamalgue. Point de départ (possible) du «zèbre» Tringlot.

« On peut facilement reconnaître Tringlot parmi ces soldats de la coloniale : il a fait "sept ans de Biribi" avant de fuir les bas-fonds de Toulon vers les hauteurs. »

Château-Queyras, alias château de Quelte (pourquoi pas ?), point d'arrivée de Tringlot, résidence de Casagrande.
Château de Saint-Vincent-les-Forts.

Giono a beaucoup fréquenté les forteresses de l'armée. En 1944, il fut incarcéré, fin août, à Saint-Vincent-les-Forts, pour «collaboration». Il y resta jusqu'en mars 1945, et fut, le 9 septembre 1944, inscrit sur la liste noire du Comité national des écrivains. M. Pierre Citron a fait, sur cette affaire, une mise au point qui, preuves à l'appui, rend justice à Giono, dans le Bulletin de l'association des amis de Jean Giono, n° 12 (pp. 16-29, sous le titre «Giono pendant la deuxième guerre mondiale»). Nous dirons nettement : Giono, anarchiste et pacifiste, était connu avant 1939 comme militant à la fois anti-fasciste et anti-stalinien ; en 1945 il ne faisait pas bon avoir été anti-stalinien.

CHATEAU QUEYRAS
(Hautes-Alpes)

Lib.-Pap. L. Gougon, Embrun - Cliché Poggioli

la mort, avec un fatal parfum de *Moulin de Pologne.* La baronne, qui sent la violette et mène tout le monde à la cravache, ressemble comme une sœur jumelle à Pauline de Théus et trouve enfin dans Murataure un amant qui l'aime à en mourir... ensemble, carbonisés dans le «brasier infernal» d'un suicide en automobile[98]. Comme les Coste qui jouent à cache-cache avec le Destin, en véritables «trompe-la-mort», et comme la grand-mère de *Mort d'un personnage,* ou les cholériques du *Hussard,* la baronne est impatiente «de brûler sa propre chair à pleine pelletées» pour éclairer «l'autre côté des choses»[99].

Pareillement mais dans un tout autre style, moins passionné mais plus artiste, Casagrande quête aussi l'essentiel dans la mort, et nous livre *in extremis* une poétique de l'écriture selon Giono. Il collectionne des squelettes d'animaux : «Je n'empaille pas, jamais.» (N. B. : le marquis de *Promenade de la mort,* lui, empaillait et restait donc en retrait par rapport à la passion de l'absolu qui dévore Casagrande : il conservait les apparences d'une vie illusoire ; et même, il lâchait hors de son arche un rollier, en guise de colombe de l'espérance). «Les animaux empaillés (et les gens) sont ridicules et ils se mitent comme de vulgaires bas de laine. Là au contraire, regardez ! c'est plus qu'un renard : il est réduit à sa plus simple expression : son squelette, son essence, le contraire de son accident : la chair (chair ou paille, ou crin ou coton) est toujours l'accident, le squelette est le fond de l'être. Comme dit l'autre : "La fin et l'essence des êtres resteront impénétrables." Je l'espère bien. Comment voulez-vous qu'on fasse son compte avec des êtres pénétrés ? Regardez-le, celui-là : impénétrable. J'ai nettoyé ses os un à un, du plus gros au plus petit ; je les ai fait tremper dans cent mille vinaigres ; je les ai brossés, poncés, polis et je les ai remontés un à un du fond de l'enfer. Impénétrable désormais et imputrescible, un point c'est tout. Et c'est parfait.»[100]

Ce n'est qu'une métaphore, et, en catimini, tout un art poétique. Le squelette étant l'essence, la chair n'est plus que l'accident, mais quel accident ! C'est même pour en conserver plus pur le souvenir qu'il «la réduit à sa plus simple *expression*», à cet os «teleios» qui est la *finalité* même de l'écriture : «Tenez : qu'est-ce que c'est celui-là ? Il faut le regarder à la loupe. Ah ! C'est l'os qu'on appelle *l'Iris de Suse,* en grec : *teleios,* ce qui veut dire : "celui qui met la dernière main à tout ce qui s'accomplit", une expression heureuse qu'on ne saurait rendre que par une périphrase. Regardez-moi ça ! Une périphrase ? Et il n'est pas plus gros qu'un grain de sel. Ça sert à quoi ? Mystère, on ne l'a jamais su ; ça ne sert à rien ; en principe sa nécessité nous échappe, dit-on. En tout cas il existe : le voilà au bout de ma pince. Je vais le placer où il doit être, comme l'a voulu Dieu le Père, un très vieux Dieu, vieux comme les rues. Voilà : il est caché derrière le maxillaire supérieur. On ne le voit pas, on ne le soupçonne pas, on le soupçonnera jamais mais, s'il n'y

104

était pas, il ne serait pas complet. Je ne le sentirais pas complet.

« Ce petit salaud, je l'ai cajolé à l'extrême, il peut le dire ! Sa peau ? Je l'ai tournée et retournée comme un gant. Sa chair ? Je l'ai détachée pièce à pièce, jusque dans tous les contours osseux. Ses articulations ? J'aurais pu me servir de ses tendons en guise de fil d'archal. J'ai été attentif à tout, absolument tout. On ne peut rien me reprocher ; mieux : je ne peux rien me reprocher. Ses os ont été lavés et relavés, poncés, huilés, essuyés, séchés et maintenant reconstruits. Il est devenu un résumé clair et précis ; comme je vous le disais : une sorte de Grande Ourse, d'étoile polaire. »[101]

Qu'est-ce à dire ? D'abord « ça ne sert à rien » ; c'est la définition même de la beauté, qui est le but, l'essentielle finalité de l'art. L'os « teleios » devrait mettre le point final au chef-d'œuvre de « reconstruction » que devient le squelette d'oiseau entre des doigts experts. Or, *il n'existe pas*, et il faut « rendre par une périphrase », en l'absence de terme propre, l'idée de « mettre la dernière main à tout ce qui s'accomplit ». On ne saurait mieux dire que cet achèvement du chef-d'œuvre reste virtuel, *idéal* : la perfection, cette complétude, laisse deviner sa présence rêvée par son absence effective. De quoi est-il fait, ce chef-d'œuvre d'architecture ? D'un « petit salaud » de rat d'Amérique, chéri par Casagrande, et d'autant plus chéri qu'il fallait le tuer. Ensuite, comme Noé rassemble la création dans l'arche de son cœur pour la sauver du déluge, Casagrande refait les animaux qu'il a tués pour les soustraire à la mort dans une autre existence : stellaire. Comme un dieu mythologique il métamorphose en étoiles ceux qu'il aime, en constellations immortelles.

Que devient Tringlot dans tout cela : il se convertit à la pauvreté, renonce à son or — pour cultiver « les vraies richesses » : l'amour ; de qui ? de l'Absente. Lui aussi est un mystique du *nada*. Il réduit l'amour, comme Casagrande les corps, « à sa plus simple expression » : le silence. L'*Iris de Suse* est l'autre nom de l'os « teleios » et, nous dit Giono dans sa présentation liminaire du roman : « L'iris de Suse n'a jamais été une fleur (il n'y a pas d'iris à Suse) ; c'était en réalité un crochet de lapis-lazuli qui fermait les portes de bronze du palais d'Artaxerxès. » J'aime beaucoup ce « en réalité ». Gageons que les sept chambres de Barbe-Bleue n'étaient pas plus délicatement fermées, car ce crochet de lapis-lazuli clôt la porte des songes.

« La plus simple expression » que vise l'artiste Giono doit être, au plus près du silence qui en représente l'expression la plus parfaite, la parole juste : elle peut, à défaut d'exprimer concrètement le monde — toute parole, hélas ! est nécessairement *abstraite*, comme le squelette extrait de la chair qu'il structurait —, en exprimer du moins le souvenir : qui est moins un retour du passé dans le présent qu'une émotion présente retirée dans les lointains de l'âme.

Ce silence est dans la parole poétique comme la mort dans la vie, le

105

squelette dans la chair, le noyau dans le fruit. Ainsi découvrons-nous le secret paradoxal de l'écriture gionienne et du principal objet de cette écriture : cette Provence intérieure qui est plus dame de ses pensées que n'importe quelle femme puisqu'elle signifie le lieu de sa renaissance. *Abstraite* comme toute expression verbale, retirée du monde réel (historique et même temporel) mais non des cartes de géographie — autres signes abstraits des territoires qu'elles expliquent à la fois et proposent à nos vagabondages —, cette Provence-là, *qui n'existe pas*, elle *est* la plus concrète et la plus vivante qui soit, à condition d'y reconnaître le triomphe de la vie en imagination *dans* (et non *sur*) l'abstraction de la mort.

La multiplication des sens

«Tandis que l'invraisemblable romantisme scientifique tend à dominer, donc à s'éloigner, à regarder de haut, à se retrancher, à examiner d'après les plans cavaliers, à maîtriser l'extérieur dans des cartes et des reflets, à jouer avec des symboles, l'ordinaire romantisme de tout mon appareil sensuel me pousse à m'accrocher, comme dans la silencieuse pétarade de mille vrilles de viornes ou la gluante succion de poulpe, à joindre, à pénétrer, à m'effondrer dans les choses comme le jaillissement chaud d'un liquide vivant, à perpétuellement redevenir dans le catalogue des formes. La science construit une vérité symbolique, mais les sens jouissent d'une vérité véritable. »[102]

Alors se déploie pour nous, dans cette Provence noire où se pavane la mort, une Provence blanche, non pas de ce blanc mortel qui n'est rien d'autre que le revers du noir, mais composée de toutes les irisations du prisme de la vie. En général, on ne voit que cela dans Giono ; et c'est facile ! La vie éclate partout dans ses textes. Encore faut-il — sous peine de s'affaler dans l'affadissement idéologique de je ne sais quelle Provence édénico-touristique — savourer *tout* le sel de cette existence immédiate et concrète qui tournerait, en l'absence de la mort, sel de la vie, à l'insipidité. «Toute misère a son soleil», dit Giono dans *Le Déserteur*[103]. Ajoutons : tout ennui, toute mort, a son divertissement. Comme Charles-Frédéric Brun, le déserteur, ou comme M. V., le roi sans divertissement, Giono découvre, «avec d'autant plus d'appétit que le blanc de la neige couvrait ce pays, les magies de la couleur finement broyée toute pure»...[104]

Nous n'en finirions pas de détailler cette multiplication des sens à l'infini ; comment résumer d'autre part une plénitude aussi savoureuse, aussi *juteuse* sans la réduire à l'état de fruit sec ? Contentons-nous de

106

quelques images, et laissons quelque chose à faire au lecteur. Quelque chose ? Oui, à lire tout Giono, et tout seul.

Première image... ou image-première de l'Univers-Giono : *le rond*. Pas ce cercle qui se donne d'emblée pour mathématique, archétypique, métaphysique, symbolique en un mot. Pas le cercle, mais le rond que l'on caresse ou que l'on palpe. Le fruit, le sein. « Les jours commencent et finissent dans une heure terrible de la nuit. Ils n'ont pas la forme longue, cette forme des choses qui vont vers des buts : la flèche, la route, la course de l'homme. Ils ont la forme ronde, cette forme de choses éternelles et statiques : le soleil, le monde. »[105].

Les jours sont longs, ajoute Giono, pour ceux qui cherchent, au lieu d'exister, un sens à leur existence, et un sens lointain. « Ce sont ceux-là qui disent : "Ces jours sont longs" — ceux-là s'ennuient. » « Non, les jours sont ronds. Nous n'allons vers rien, justement parce que nous allons vers tout, et tout est atteint du moment que nous avons tous nos sens prêts à sentir. Les jours sont des fruits et notre rôle est de les manger, de les goûter doucement ou voracement selon notre nature propre, de profiter de tout ce qu'ils contiennent, d'en faire notre chair spirituelle et notre âme, de vivre. Vivre n'a pas d'autre sens que ça. »[106].

Et ceux qui multiplient ainsi leurs sens, ils sont comme des rois. Giono ne dit pas des dieux, mais des rois. « Le monde est là : j'en fais partie. Je n'ai d'autre but que de le comprendre et de le goûter avec mes sens. »[107]

Or, comprendre aussi le monde, n'est-ce pas y être compris, naturellement inclus, ne pas le regarder de haut mais résider dedans ? Le point de vue de Giono n'est presque jamais le point de vue de Sirius car, nous le savons déjà, il a une manière bien à lui de prendre de l'altitude: il s'approfondit. La rondeur du monde a la rondeur du sein maternel : « Ce beau sein rond est une colline » ? Alors, le monde entier aussi est un grand sein. Et c'est avec *Colline* que s'est manifesté pour la première fois, que naît en 1928, le monde Giono. Un monde dans lequel tout *devrait* tourner rond.

Mais dans toute cette rondeur, l'homme dépasse un peu ; la tragédie c'est l'homme. La tragédie c'est la parole, la raison de l'homme, le logos, dans le fabuleux silence du monde. Que reste-t-il à faire au poète dans un monde où le bruit de la raison dépasse la mesure ? Polir les mots comme une rivière roule des galets, arrondir les angles de la tragédie, les faire briller au soleil. De Julie Coste, que le destin persécute comme une autre Antigone, une autre Électre, Giono dit superbement : « Comme le font toujours les êtres de qualité, elle était arrivée à employer les éléments qui la combattaient à l'enchantement de la vie. » Tout artiste vit dans cet « élément ». Ainsi, sous la forme d'un soleil *artificiel* — le soleil de feu d'artifice en quoi se transforment les artistes météorisés — l'homme et la tragédie s'intègrent dans le cycle des formes de la nature, des saisons, des travaux et des jours. Pourtant ce soleil métaphorique — et justement parce qu'il est seulement métaphorique — ne vaut pas la rondeur des jours autour desquels gravitent nos sens. Et même dans cette rondeur ce n'est pas «midi le juste» que vénère Giono : il y désire «l'heure trouble de la nuit» où «les jours commencent *et* finissent».

Finissent surtout! Car pour Giono le soir est la récompense du jour; et c'est la mort qui régale la vie. Le soir quand le soleil *crève* enfin : «Le soleil, crevé, se vide comme un œuf dans le dessous de la terre, et c'est la nuit. Alors — mais seulement si nous sommes sages — nous marcherons posément vers les fontaines dans l'ombre profonde de la nuit.»[108]

Rondeur des nuits.

Si nous sommes sages...

Car le soleil, dans la vraie Provence de Giono, voilà l'ennemi; et avec lui le travail, qui signifie toujours torture, sauf s'il s'agit d'un travail que l'on fait pour le plaisir. «Qu'on n'oublie pas à quels jouisseurs nous avons affaire. On devient vite très fin à chercher constamment son plaisir. Habiter une maison aux mesures exactes en est un et qu'ils étaient loin de négliger. Mesures exactes et raisons logiques : de toutes petites fenêtres *où le soleil n'entre pas*. Le goût du bonheur avait fait comprendre que *le soleil est l'ennemi*. Des pièces fraîches, des ténèbres tendres à l'intérieur; à l'extérieur, des murs crépis de chaux irisée pour rejeter ce soleil loin de soi. Mais, comme on est les fils d'une civilisation très ancienne qui a inventé tous les dieux, toutes les vertus et tous les péchés mortels, on prenait soin de faire graver dans la pierre des portes des couronnes de laurier et de faire forger les barreaux des fenêtres en forme de feuille d'acanthe.»[109]

Ne prêtons pas à Giono ce cliché blafard du Méridional paresseux, joueur de pétanque et buveur de pastis, cette flagornerie que des Provençaux colonisés adressent aux rejetons anémiques d'une civilisation sans culture où l'ennui n'a pas d'autre alternative que l'abrutissement au travail. Giono revendique pour ces «feignants» des titres de grands seigneurs. «Ce qu'il faut imaginer aussi», nous dit-il, en face de ce soleil (et de cette mer) ennemis, «c'est le temps, le temps immobile des gens qui ont le temps.»[110]

Et même le temps de travailler : «La vie quotidienne était faite par moitié de contemplation et par moitié de conversation. Quelquefois, en rognant un peu de part et d'autre sur chaque moitié, on s'occupait de passion. Certains jours particulièrement virils et à la suite de défis, intérieurs ou extérieurs, à qui n'échappent jamais les pauvres natures humaines, contemplation, conversation et passion étaient sacrifiées en grande pompe au travail.»[111]

Mais ce travail du jour — les *travaux et les jours* d'Hésiode — était destiné surtout, comme dans *Naissance de l'Odyssée*, à faire tourner les conversations du soir : «On pêchait avec de petits filets ou avec quelques lignes. Le filet ou la ligne qui s'accrochait quelque part s'accrochait toujours à un monstre. Les barques étaient petites. Ils étaient là-dessus au maximum trois. On ne se rassure pas beaucoup l'esprit à trois, au contraire. Être cinq ou six heures en contact avec le mystère, même (surtout) si on ne voit rien, excite les facultés créatrices. Ces hommes pouvaient difficilement s'imaginer qu'ils s'imposaient ces souffrances morales (véritables tortures à qui est doué pour le plaisir facile) à seule fin de ramener quelques kilos de soupe à poisson. Ramener un monstre était plus logique ; le ramener en chair et en os. C'est pourquoi le folklore marin provençal est plus riche que l'étal des poissonneries. »[112]

Ainsi la légende, pour les anciens, la tragédie, pour les modernes, donnent à l'existence un sel que la réalité quotidienne ne contient pas ; et que les réalistes, ces «dessalés», ne peuvent pas savourer : Provence *attique.*

Provence utopique où l'on ne travaille pas, où l'on vit de l'air du temps et de la fraîcheur des nuits ? Bien sûr ! Mais c'est l'utopie qui fait vivre ; surtout quand on la réalise. Or Giono réalise — et nous fait réaliser — ce rêve de se suffire à soi-même par un travail qui fait plaisir. Certes les artisans et les paysans dont il nous parle — et qu'il ne décrit presque jamais au travail : il nous entretient de leur sagesse — ne travaillent plus pour la bonne et simple raison qu'on ne peut plus vivre aujourd'hui en dehors des lois de l'économie en autarcie complète. Ils n'existent plus ; la civilisation moderne les a éliminés : tout comme la Provence qu'ils cultivaient. Ces artisans, comme le cordonnier de Manosque, se survivent dans leur descendance d'artistes. Giono a imaginé sur le modèle de sa propre existence d'écrivain une Provence artisanale et rurale où l'on pouvait se suffire à soi-même, en beauté.

Autre image ; la même : rondeur des sens. «Je sais que je suis un sensuel», proclame Giono qui ajoute : «Si l'on a l'humilité de faire appel à l'instinct, à l'élémentaire, il y a dans la sensualité une sorte d'allégresse cosmique. »[113] Autrement dit : le sens du monde est dans mes sens. Toute la jouissance — la joie — du monde, *à demeure.* Et naturellement cette sagesse-là lui fut transmise par son père, l'artisan. C'est un héritage. «Si j'ai tant d'amour pour la mémoire de mon père, si je ne peux me séparer de son image, si le temps ne peut pas trancher, c'est qu'aux expériences de chaque jour je comprends tout ce qu'il a fait pour moi. Il a connu le premier ma sensualité. Il a vu, lui, le premier, avec ses yeux gris, cette sensualité qui me faisait toucher un mur et imaginer le grain de pore d'une peau. Cette sensualité qui m'empêchait d'apprendre la musique, donnant un plus haut prix à l'ivresse d'entendre qu'à la joie de se sentir habile, cette sensualité qui faisait de moi une

Grau-du-Roi. Saint-Tropez.
« *Un petit port méditerranéen, c'était un bistrot et quelques* balais *à rôtir. Trois, quatre barques avec de petites voiles; de quoi, par bon vent et après s'être assuré que le beau était fixe, aller jusqu'à un kilomètre en mer. Le principe était de ne jamais perdre la terre de vue. (...) C'est dans de semblables escales qu'Ulysse a passé son temps (perdu son temps, dirait Pénélope)... il faudrait retrouver l'atmosphère des petits ports comme Saint-Tropez, Cassis, etc. avant l'arrivée des civilisés. Évidemment, aujourd'hui c'est difficile, on n'a plus, sur toute l'étendue de cette côte, un seul point de comparaison. Tout est devenu théâtre et théâtre d'opération, ayant la jouissance pour but.* » (Arcadie... Arcadie, *pp. 228, 229 et 231.*)

La Côte d'Azur

Saint-Tropez. — Le Port.

Provence du vin

Dans *Jean le Bleu*, c'est «le vin des hommes», dans *Arcadie... Arcadie* c'est l'ivresse des dieux. Et cela figure encore la duplicité de toute culture authentiquement humaine.

La vendange est toujours apocalyptique, car le vin c'est aussi le sang des hommes : «Le village sentait le tonneau mouillé et le bois écrasé. Il ne sentait pas le vin, il sentait la lie, la boue des cuves. C'était la fin des vendanges. Dans de gros corsets de planches on écrasait des grappes déjà écrasées. On essayait de tirer encore de tout ça des fils de vin. Il y avait une longue barre de bois toute gluante, et, au commandement, huit grosses mains claquaient sur la barre (...) la barre craquait, le pressoir criait son cri d'accouchée, son ventre grésillait, d'une écume rouge, et une petite pluie de vin tombait dans la cuve. Ce vin était là-bas au fond, noir, caillé.»[133]

Le vendangeur, en effet, comme le moissonneur, véritable dieu de la fin des temps et du jugement dernier, crible ou presse l'humanité, dévastant ou détruisant les produits naturels de la culture, pour en exprimer le sens le plus mystérieux : celui des fins dernières de l'homme.

Le vendangeur, en particulier, révèle et dévoile le fond dionysiaque d'une ivresse apollinienne. Au fond des cuves : la boue, la lie, comme un sang noir, celui des hommes au pressoir, écrasés

TRANS (Var) — En Vendanges, un Pressoir.

comme des grappes. Vendanges pour la mort.

Mais, en revanche, sur le visage du vigneron, Giono contemple «le miroitement de l'âme d'un prince»[134] ou d'un roi. D'un roi follement diverti : «Je n'ai jamais rien vu de plus royalement sanguin; à un point que ce n'est plus de la chair humaine : c'est on ne sait quelle tapisserie extraordinaire avec laquelle on s'est fait un masque»[135]. C'est le masque lie-de-vin du chariot de Thespis ou de Dionysos lui-même, le masque du «Grand Théâtre» : «Le sang qui est là, généreux et ayant le temps, enfin, de fleurir, est comme la sève dans deux belles feuilles rouges : on le voit circuler paisiblement dans d'adorables petites ramures corail ou violettes; il dessine des ferronneries et des arbres persans. J'admire la sécurité de cœur et d'âme d'un homme qui peut vivre dans la société moderne, masqué d'un masque d'une semblable richesse. (...) Le vin dont il est le serviteur et le prêtre lui a dessiné sur le visage l'ornement derrière lequel il est tenu par ordre divin de dissimuler la faiblesse

humaine. C'est le tatouage du grand prêtre d'un dieu naturel...»[136]

Cet alchimiste qui transmue le sang des hommes en vin des dieux, c'est encore, bien sûr, ne vous en doutiez-vous pas?, un poète. «Bref, il est l'ivresse».[137] Et l'ivresse dionysiaque inséparable de la *véritable* beauté. Car cette belle ivresse est aussi le beau mensonge de l'art, celui qui ment sa vérité. Si l'art, en effet, selon Nietzsche, nous est donné «pour nous empêcher de mourir de la vérité» (*La Volonté de puissance*, I, 453), l'art est une ivresse *reconnaissante* de la mort. Et l'artiste ment (à) la vérité en affirmant la vérité exemplaire et unique du beau. Il est, en effet, le vigneron d'une autre espèce d'ivresse, et qui ne porte pas son masque sur son visage bariolé, mais dans les «feuilles», «les ramures» et les «ferronneries» de son texte, «jeux d'ombre et de sang» dit Giono, «qui sont les façons délicieuses et magnifiques de se faire pressentir qu'emploie un être fantastique»[138].

goutte d'eau traversée de soleil, traversée des formes et des couleurs du monde, portant, en vérité, comme la goutte d'eau, la forme, la couleur, le son, le sens marqué dans ma chair. »[114]

La goutte d'eau reflétant le monde, ou le singulier microcosme dans lequel *se réfléchit* l'univers... cette rondeur, insignifiante apparemment dans le cycle des astres et la musique des sphères, présente quand même au monde, en toute simplicité, le miroir dans lequel il se voit : le moi *speculum mundi*.

Or cette sensualité cosmique, Giono l'existe à double sens. Celui de la tradition léguée par son père : « Il n'a rien cassé, rien déchiré en moi, rien étouffé, rien effacé de son doigt mouillé de salive. Avec une prescience d'insecte il a donné à la petite larve que j'étais les remèdes : un jour ça, un autre jour ça ; il m'a chargé de plantes, d'arbres, de terre, d'hommes, de collines, de femmes, de douleur, de bonté, d'orgueil, tout ça en remèdes, tout ça en provisions, tout ça en prévision de ce qui aurait pu être une plaie. Il a donné le bon pansement à l'avance pour ce qui aurait pu être une plaie, pour ce qui, grâce à lui, est devenu dans moi un immense soleil. »[115]

Soleil et plaie. Le soleil est une plaie, toute plaie peut devenir soleil : en rond ; comme la nuit succède au jour et le jour à la nuit... et la mort à la vie. La sensualité blessure — parce qu'elle demeure malgré tout sensibilité à la mort — peut s'arrondir et s'alléger en allégresse cosmique, dans un ordre naturel qui l'intègre et dans un ordre artificiel, qui la dépasse. C'est en effet de l'intérieur de sa chair que l'artiste peut sentir et comprendre le dedans du monde, où il est compris, pour s'y enfermer : pour s'y répandre dans « la circulation des sèves inouïes » (Rimbaud, *Le Bateau ivre*).

D'où la troisième image : rondeur de l'*unanimisme* gionien : « Tout avait son poids de sang, de sucs, de goût, d'odeur, de son. Les âtres brûlaient des bruyères sèches, parce que ça s'enflamme avec plus de colère que le bois lent. L'odeur qui venait jusqu'à notre colline était pleine des gestes des femmes près de la marmite, du bruit que fait la soupe quand elle hésite à bouillir et qu'elle tremble dans les coups d'une grande flamme toute jeune. Les volets battaient contre les murs. On donnait du frais aux chambres ; on écoutait la pendule. Elle marche toujours. On la remontera demain matin. Loin dans le bois, des buis criaient sous le trot des renards. Les pierres du vieux mur bougeaient doucement. Le gros serpent devait se retourner dans sa cachette, frotter son cou contre l'angle d'une pierre pour faire tomber les vieilles écailles. Une grosse motte de fourmis, luisante et grondante comme un chat arrondi, coulait lentement vers sa ville de dessous terre. Les racines des arbres se reposaient. Il n'y avait plus de vent. Le calme du soir. Elles lâchaient un peu la roche. On sentait que toute la colline se tassait et que les arbres étaient un peu plus des choses de l'air. On sentait qu'ils étaient un peu plus sans défense, comme des bêtes qui boivent. La résine coulait sur le tronc des pins. La petite goutte blonde, quand elle sortait de la blessure de l'écorce, avait le sifflement léger de la goutte d'eau qui touche le fer chaud. Ce qui la poussait dehors, c'était la grande force du soir, une grande force qui allait donner de l'émotion jusqu'au plus profond des granits ; de petits vers minces comme des cheveux étaient prévenus dans la profondeur des pierres et ils commençaient leur chemin vers la lune, à travers l'éponge de ce qui paraissait être de grain serré. Les sèves partaient du bout des racines et fusaient à force à travers les arbres jusqu'aux plus hautes pointes des feuilles. Elles passaient entre les onglons des oiseaux perchés. L'écorce de l'arbre, l'écaille de la patte, il n'y avait que ça entre les deux sangs de l'oiseau et de l'arbre. Il n'y avait que ces barrières de peau entre les sangs. Nous étions tous comme des vessies de sang les unes contre les autres. Nous sommes le monde. J'étais contre la terre de tout mon ventre, de toute la paume de mes mains. Le ciel pesait sur mon dos, touchait les oiseaux qui touchaient les arbres ; les sèves venaient des rochers, le grand serpent, là-bas dans le mur, se frottait contre les pierres. Les renards touchaient la terre ; le ciel pesait sur leurs poils. Le vent, les oiseaux, les fourmilières mouvantes de l'air, les fourmilières du fond de la terre, les villages, les familles d'arbres, les forêts, les troupeaux, nous étions tous serrés grain à grain comme dans une grosse grenade, lourde de notre jus. »[116]

Unanimisme cosmique, plus que social, l'unanimisme gionien s'enracine dans une culture et pas dans une nation, fût-elle « nostre nacioun ». Rien n'est plus étranger à l'esprit gionien que le nationalisme barrésien, maurrassien et même mistralien : tout au plus la petite patrie trouverait-elle sensiblement grâce aux yeux de cet anarchiste, parce qu'elle lui paraît moins dangereuse, n'ayant plus les moyens de se faire militaire et belliqueuse, que la grande. Et l'horreur absolue s'installe évidemment, pour lui, avec les empires idéologiques modernes.

L'unanimisme cosmique et culturel de Giono n'est donc pas spécifiquement provençal. Il nous avait prévenus : « Il n'y a pas de Provence. Qui l'aime aime le monde ou n'aime rien. »[117]

Or, « aimer la Provence », pour lui, c'est vivre en harmonie avec un univers à mesure d'homme, où l'individu homme doit se suffire à lui-même. Certes Giono ne croit pas à l'existence du paradis terrestre ici-bas ni maintenant ni plus tard, ni même au passé : « Qui a parlé d'edens campagnards ? Quand on parle de la grande chose paysanne, on ne peut pas parler de choses sublunaires. Celui qui cherche un eden ne le trouvera nulle part... »[118]

Il connaît trop la dureté du monde et que l'existence est une tragédie. « Il y a partout la peine des hommes. Je dis seulement que la grande question est d'avoir une peine à sa taille. »[119] Ce qu'il formule ainsi, mais sur un mode très simple, c'est le principe optimiste *quand même* de tout humanisme depuis les Grecs : «L'homme est la mesure de toute chose.» Mais ceci est une idée de philosophe; Giono, poète tragique, se contenterait d'un monde où l'homme serait à la mesure d'un certain nombre de choses, en particulier de sa peine, de son travail et de sa joie. Non, sa Provence n'est pas un «eden campagnard», pas même bucolique à la manière de Virgile. Il a seulement la nostalgie de l'*Arcadie* qu'elle fut, avec la ferme volonté d'y rester, dans cette Arcadie où le paysan et l'artisan avaient, pense-t-il, un travail et une peine à leur taille, la passion de leur travail et le pouvoir [d'exercer] cette passion dans une pleine liberté individuelle. »[120]

Mais ne définit-il pas ainsi le travail libre et passionné de l'artiste, seul survivant, peut-être, dans le monde moderne de l'antique Arcadie heureuse?

Le paysan des hautes terres et l'artiste grande race se reconnaissent dans le champ clos du monde moderne technique — la technique, voilà l'ennemi! — à leur écu : tous deux portent de paon ocellé sur champ d'austère pauvreté. Les fermiers des «hautes aires» de la Provence possèdent tous, d'après Giono, «des basses-cours de paons dont il semble qu'ils tirent plus de joie à les regarder marcher gravement, puis soudain à s'éblouir de leurs éclatements silencieux à l'heure où le soir a lâché son vent aiguisé, où, plus que la fatigue, la pureté sombre du ciel ne supporte plus le travail, où il faut rester immobile et cependant continuer à être habité. Façon de résoudre le problème qui est bien dans la manière des têtes rondes : faire entrer l'oiseau princier dans leur vie franciscaine (...). Ils regardent vivre à côté d'eux les oiseaux magiques; quelquefois ils en mangent, mais alors ils brûlent les plumes, et ce sacrifice désespéré est aussi dans la manière des têtes rondes. »[121] L'oiseau qui fait la *roue* éblouit donc les têtes *rondes* comme un soleil intérieur. Giono parle de «l'éclatement silencieux» des plumes ocellées dans le crépuscule, car les feux d'artifice qu'on se tire pour soi-même en dedans font moins de pétarades que ceux des bals de Toulon dans *Noé*.

Mais «l'oiseau princier» peut être sacrifié, non pas consumé, sacrifié. Ne s'éclate-t-il pas déjà vers «l'heure où le soir a lâché son vent *aiguisé*»? Suivant la cruelle esthétique de Giono, en effet, «il existe (...) un autre système de référence dans lequel Abraham et Isaac se déplacent logiquement, l'un suivant l'autre, vers les montagnes du pays de Moria; dans lequel les couteaux d'obsidienne des prêtres de Quetzalcoatl s'enfoncent logiquement dans des cœurs choisis. Nous en sommes avertis par la beauté. On ne peut pas vivre dans un monde où l'on croit que l'élégance exquise du plumage de la pintade est inutile. »[122]

Ainsi — quatrième image de la rondeur — la roue du paon qui nous donne à voir, qui *exprime* dans le monde extérieur l'intime diaprure d'une âme d'artiste, cette irisation de beauté se surajoute au soleil noir de la destruction. Au retour de sa descente aux enfers de Marseille et de

Toulon, au sortir de ses abîmes personnels, Giono voit ainsi, dans son oliveraie du Mont d'Or, l'hiver «s'établir comme un paon» : «...l'hiver s'établit... Ici je dois ouvrir une parenthèse : le mot hiver suggère d'ordinaire la nudité et la blancheur. Il ne s'agit pas d'un hiver semblable. Il s'agit d'un hiver bleu profond : violet. L'hiver dans les oliveraies est très coloré. (...) Il ne s'agit par conséquent pas d'un hiver nu et blanc. Il serait plutôt semblable à un paon. »[123]

De même, le déserteur enchante avec la magie de sa couleur l'ennui neigeux de son propre hiver. «Certains jours, par là, en 1856, et même encore il n'y a pas longtemps, écrit Giono dans *Les Deux Cavaliers de l'orage*, on a vu, à la fin de certains hivers particulièrement uniformes, le village tout entier s'en aller, comme sur un mot d'ordre, jusqu'au Pavon, puis regarder les paons. Cela se produisait à la saison où, dans les prairies ordinaires, apparaissent les premières fleurs du printemps. Ici, rien n'apparaît, eh bien! on le force à apparaître avec des paons. C'est à la fois un luxe, et un défi. »

Rondeur des jours, rondeur des sens, ronde perpétuellement provisoire de la mort et de la beauté, dans l'univers Giono règne le cycle de l'éternel retour. «Voyageur immobile»[124], il s'y déploie sur place dans le mouvement cosmique des astres, des saisons, des passions. Sa Provence, à l'image de ce cosmos panique où, poète, il réside et dont il s'évade par l'imagination, en figure la belle-au-bois-dormant toujours présente et la princesse pourtant très lointaine. Provence, bel objet d'art et portrait du peintre.

Ce que vous ne rencontrerez jamais dans la Provence de Giono

1. Des Parisiens : aucun exotisme chez Giono. Le Grand Nord c'est Grenoble. Ni des Provençaux «modernes».

2. Des usines et tout ce qui s'ensuit : ingénieurs, technocrates, travail à la chaîne, O.S., stakhanovistes et taylorisés, supermarchés, pollution, télévision, téléphone, etc. L'extrême avancée du modernisme gionien, c'est l'avènement du chemin de fer. L'anti-héros gionien : Cyrus Smith, dans *L'Ile mystérieuse* de Jules Verne[139]. Quand il arrive dans une île déserte, au lieu de s'y installer comme Robinson Crusoë, l'ancêtre des écologistes, il ne rêve que d'y introduire la civilisation industrielle : c'est un yankee célibataire, puritain, ingénieur, technocrate, progressiste, autoritariste, très moral.

3. Des intellectuels de l'espèce politicienne qui transforme son savoir en pouvoir pour faire marcher les autres au pas : «La première vertu révolutionnaire, constate Angelo, c'est l'art de faire foutre les autres au garde à vous.»[140]

4. Des bourgeois, ceux qui transmutent l'argent en pouvoir ou le pouvoir en argent, selon que le régime est «libéral avancé» ou «socialiste réel». Et naturellement les intellectuels bourgeois, de droite et de gauche.

5. Des militaires. Ne parlons pas des soldats qu'on fait marcher à la boucherie du *Grand Troupeau*, mais seulement des professionnels de la tuerie, qui gagnent leur vie à tuer ou à faire tuer les autres. La couleur du drapeau, rouge ou blanc, ne change rien à la *chose*.

6. Des curés : le garde à vous spirituel n'est qu'une variante du précédent. Aucun folklore ecclésiastique. Pas d'églises, non plus, sauf Saint-Sauveur-de-Manosque, perchoir à hussard démonté.

A ces trois ordres de pouvoir par le savoir, qui correspondent aux fameuses «autorités civiles, religieuses et militaires», il faudrait adjoindre les sous-ordres de l'espèce : en gros tous les clercs laïcs et religieux, les représentants et fonctionnaires de l'État, les cadres et autres techniciens de l'encadrement des masses laborieuses… il tolérerait, peut-être, la présence du garde-champêtre. En revanche, la Provence de Giono est peuplée par la foule de ceux qui ne marchent pas au pas, le gros de la troupe étant constitué de paysans pauvres et d'aristocrates ruinés de générosité, vestiges de la société féodale. Vous y rencontrerez toutes les espèces de hors-la-loi et de laissés pour compte de la société industrielle : ouvriers agricoles, gens du voyage, puisatiers, baladins, musiciens ambulants, curés défroqués et religieuses en rupture de couvent, gendarmes anarchistes, déserteurs, putes, prophètes criant dans le désert, navigateurs solitaires, épileptiques, aveugles clairvoyants, danseuses, thaumaturges et poètes, joueurs de cartes, tricheurs professionnels, sorciers et loups-garous, un procureur de la République fin connaisseur en âmes d'assassins, amoureux fous, suicidés, explosés, fainéants contemplatifs, brigands de grands chemins… artistes en tous genres. La cour des miracles et la population de l'Évangile, une fois soustraits les scribes et les pharisiens.

« La Provence n'est pas mon type de pays. Si j'habitais un pays que j'aime, qui me plaît, j'habiterais un pays où il pleut. Si je pouvais habiter un pays que j'aime, j'habiterais l'Écosse. » (Entretien radiophonique, document INA.)

NOTES

Les références à l'œuvre de Giono sont faites :
1. Pour tous les textes édités dans les *Œuvres romanesques complètes*
(O.R.C.), Gallimard, «Bibliothèque de la Pléiade», Paris, 1971 à
1980, 5 volumes, dans cette même édition, avec le titre suivi de la
tomaison en chiffres romains (I, II, III, IV) et de la pagination en
chiffres arabes.
2. Pour les autres textes, à :
Le Moulin de Pologne, Gallimard, Paris, 1952.
Voyage en Italie, Gallimard, Paris, 1953.
Manosque des plateaux, Émile-Paul, Paris, 1955.
Les Deux Cavaliers de l'orage, Gallimard, Paris, 1965.
L'Iris de Suse, Gallimard, Paris, 1970.
Les Récits de la demi-brigade, Gallimard, Paris, 1972.
Le Déserteur et autres récits (La Pierre, Arcadie... Arcadie, Le Grand Théâtre),
«Folio», Paris, 1978.
Le Poids du ciel, Gallimard, «Idées», Paris, 1971.

1. *Noé*, III, 849.
2. *Ibid.*, III, 613.
3. *Ibid.*, III, 644.
4. *Ibid.*, III, 621.
5. *Ibid.*, III, 613.
6. *Jean le Bleu*, II, 3.
7. *Ibid.*, II, 3.
8. *Le Moulin de Pologne.*
9. *Le Hussard sur le toit*, IV, 331.
10. *Jean le Bleu*, II, 61.
11. *Manosque des plateaux*, 8.
12. *Ibid.*, 13.
13. *Ibid.*, 17.
14. *Angelo*, IV, 62-63.
15. *Noé*, III, 730.
16. *Jean le Bleu*, II, 62.
17. *Le Hussard sur le toit*, IV, 337-344
    en particulier.
18. *Noé*, III, 719.
19. *Manosque des plateaux*, 107.
20. *Ibid.*, 118.
21. *Jean le Bleu*, II, chap. 4.
22. *Un de Baumugnes*, I, 236.
23. *Regain*, I, 329.
24. *Le Hussard sur le toit*, IV, 265.
25. *Promenade de la mort, L'Iris de Suse.*
26. *Jean le Bleu*, II, 71 sq.
27. *Ibid.*, II, 109.
28. *Ibid.*, II, 94.
29. *Ibid.*, II, 97.

30. *Le Déserteur*, 25.
31. *Ibid.*, 48.
32. *Ibid.*, 34.
33. *Ibid.*, 87.
34. *Ibid.*, 81.
35. *Ibid.*, 110.
36. *Regain*, I, 429.
37. *Pour saluer Melville*, III, 4.
38. *Le Chant du monde*, II, 372.
39. *Noé*, III, 707.
40. *Arcadie... Arcadie*, 210.
41. *Ibid.*, 215.
42. *Ibid.*, 213.
43. *Voyage en Italie*, 11.
44. *Ibid.*, 12.
45. *Ibid.*, 146.
46. *Noé*, III, 845.
47. *Arcadie... Arcadie*, 226.
48. *Pour saluer Melville*, III, 3.
49. *Colline.*
50. *Le Chant du monde.*
51. *Batailles dans la montagne.*
52. *Un roi sans divertissement.*
53. *Noé*, III, 712.
54. *Ibid.*, III, 674.
55. *Ibid.*, III, 653-656.
56. *Ibid.*, III, 667.
57. *Ibid.*, III, 662.
58. *Le Hussard sur le toit*, IV, 258.
59. *Ibid.*, IV, 613.

60. *Noé*, III, 667.
61. *Ibid.*, III, 717.
62. *Ibid.*, III, 719.
63. *Ibid.*, III, 722.
64. *Ibid.*, III, 686.
65. *Ibid.*, III, 726.
66. *Ibid.*, III, 725.
67. *Ibid.*, III, 668-672 et 682-703.
68. *Ibid.*, III, 1396-1521.
69. *Ibid.*, III, 786.
70. *Ibid.*, III, 791.
71. *Mort d'un personnage*, IV, 180-181.
72. *Angelo*.
73. *L'Iris de Suse*.
74. *Noé*, III, 610.
75. *Le Moulin de Pologne*.
76. *Noé*.
77. *Les Ames fortes*.
78. *Un roi sans divertissement*.
79. *Les Récits de la demi-brigade*.
80. *Le Hussard sur le toit*, IV, 617.
81. *L'Eau vive*, III, 203.
82. *Jean le Bleu*, II, 46.
83. *Le Hussard sur le toit*, IV, 615.
84. *Un roi sans divertissement*, III, 473.
85. *Ibid.*, III, 480.
86. *Noé*, III, 614.
87. *Un roi sans divertissement*, III, 547.
88. *Noé*, III, 666.
89. *Angelo*, IV, 4.
90. *Le Hussard sur le toit*, IV, 594, 600.
91. *Les Récits de la demi-brigade*, 122-167.
92. *Ibid.*, 162.
93. *L'Écossais, ibid.*, 143.
94. *L'Iris de Suse*, 9.
95. *Ibid.*, 54.
96. *Ibid.*, 66.
97. *Jean le Bleu*, II, 180.
98. *L'Iris de Suse*, 222.
99. *Le Hussard sur le toit*, IV, 618.
100. *L'Iris de Suse*, 134.

101. *Ibid.*, 212.
102. *Provence*, III, 207.
103. *Le Déserteur*, 107.
104. *Ibid.*, 89.
105. *Rondeur des jours*, in *L'Eau vive*, III, 191.
106. *Ibid.*, III, 191.
107. *Ibid.*, III, 193.
108. *Ibid.*, III, 195.
109. *Arcadie... Arcadie*, 233.
110. *Ibid.*, 233.
111. *Ibid.*, 235.
112. *Ibid.*, 235-236.
113. *Jean le Bleu*, II, 96 et 97.
114. *Ibid.*, II, 96.
115. *Ibid.*, II, 97.
116. *Ibid.*, II, 98-100.
117. *Provence*, in *L'Eau vive*, III, 235.
118. *Le Poids du ciel*, 254.
119. *Ibid.*, 254.
120. *Ibid.*, 257.
121. *Provence*, in *L'Eau vive*, III, 221.
122. *Un roi sans divertissement*, III, 481.
123. *Noé*, III, 839-840.
124. *L'Eau vive*, III, 118.
125. *Noé*, III, 849-852.
126. *Un roi sans divertissement*, III, 455-456.
127. *Noé*, III, 645.
128. *Arcadie... Arcadie*, 188.
129. *Jean le Bleu*, II, 7.
130. *Arcadie... Arcadie*, 205.
131. *Le Grand Théâtre*, 254.
132. *Ibid.*, 254.
133. *Jean le Bleu*, II, 119.
134. *Arcadie... Arcadie*, 219.
135. *Ibid.*, 219.
136. *Ibid.*, 220.
137. *Ibid.*, 223.
138. *Arcadie... Arcadie*, 220.
139. Voir *Virgile*, III, 1019-1068.
140. *Le Hussard sur le toit*, IV, 343.

INDEX DES ILLUSTRATIONS

SOMMAIRE

Maquette J.-L. Gille
Photocomposition : « Le vent se lève... »

Achevé d'imprimer le 7 novembre 1980
sur les presses des Imprimeries Maury - 12102 Millau
Dépôt légal : 4ᵉ trimestre 1980 – Nᵒ d'imprimeur : 6070

Imprimé en France